誰も教えてくれない日本の不都合な現実

ひろゆき
（西村博之）

JN101132

はじめに

厳しい現実を知ることで、賢く、ラクに生きられる

ＬＩＮＥ株式会社が、四半期毎に全国の15～24歳の男女に対して、アンケート調査をしています。その「いちばん信頼している／参考にしているインフルエンサー・有名人」（2021年3月調査）に、日本一のユーチューバー、ＨＩＫＡＫＩＮさんに次いで、僕が2位に選ばれてしまいました。

この結果に、いちばん驚いているのは僕です。

ＨＩＫＡＫＩＮさんは、ほかのユーチューバーが、異性問題や所属事務所とのトラブル、またコロナ禍の緊急事態宣言下での飲み会開催といったスキャンダルが報じられるなか、一貫して人気を博しています。名実ともにトップユーチューバーの貫禄を見せつけたかたちですね。

ＨＩＫＡＫＩＮさんの動画は、子どもにも安心して見せられます。彼は人を傷つける発言もしません。また、動画を週に何本も上げ続けるまじめさも兼ね備えていて、彼のユー

チューブチャンネル「ＨｉｋａｋｉｎＴＶ」は、２０２１年に10周年を迎えました。

要は、人格がすばらしいんですよね。だから、みんなから信頼されています。

一方の僕は、ネットで名前を検索すればすぐわかりますが、すごく叩かれています。人を不快にさせることをいうこともありますし、発言したことが「炎上」することもしばしばです。人格がすばらしいとは、だれも思っていないですよね。僕自身も思っていません。


では、そんなＨＩＫＡＫＩＮさんとは真逆な僕が、なぜ信頼している・参考にしている人の上位に入る〝珍事件〟が起こるのか。

これは、消去法的に考えれば想像がつきます。つまり、**僕が信頼されているんじゃなくて、「ほかに信頼できる人がいない」「信頼できない世の中になっている」ということなんじゃないか**と思うわけです。

若い人たちは、そういうことを敏感に察知しているだけで、「信頼できる人がいないよね」「世の中信頼できないよね」というのは、多くの人が思っている状況なんじゃないかな、と想像します。

不都合なことを個人に押しつける国・日本

「いやいや、信頼できる人はたくさんいるし、世の中捨てたもんじゃないでしょ?」というツッコミが入れられる気がします。僕もそう思うことはあります。

ただ昨今、**正しく真っ当な情報が重視されない世の中になった**、と感じることはとても多いです。

それが露呈《ろてい》したのが、新型コロナによる日本のドタバタ劇でしょう。

たとえば、東京の小池百合子《ゆりこ》都知事は、新型コロナの感染を抑えるために、路上飲み・公園飲み禁止などといっていましたよね。メディアもそれに便乗して、路上飲みや公園飲みする人を批判的に報道しました。

でも、お酒を飲むのが許されている状況下では、店舗や自宅、会社などの室内で飲むか、公園などの路上で飲むかの二択になります。で、路上って、自然に換気されているので、ツバなどの飛沫が飛ばない範囲で距離を取って飲むなら、いちばん感染しない飲み方のはずなんです。

それに、本当に路上飲みを止めたいのならば、緊急事態宣言下の地域でアルコールの供給元を断つ、つまり、コンビニやスーパーなどで販売を禁止すればいい。それをせずに、国民の同調圧力で封じていくやり方で路上飲みをする人たちをバッシングするような雰囲気をつくるのは、姑息《こそく》だと思うのです。

相変わらずアルコールを製造・販売しているメーカーや小売店は非難されないわけですからね。

でも、それにツッコミを入れる政治家やメディアは皆無です。いってみれば、**政治や企業の都合が優先されていて、そのしわ寄せが個人に押しつけられているのです。**

なぜこういう当たり前のことが共有されないか。理由のひとつは、情報の出し手であるメディアにとってそんなことを報道するのが不都合だからでしょう。お酒のメーカーや販売店は巨大スポンサーですから。

政治家も同じで、与党への献金額が多い大手業界ほど、法人税を優遇する恩恵を受けていることがわかっています。政治家がそういう企業に「忖度《そんたく》」するのは当たり前です。

ということで、こういった当たり前のこと、真っ当なことに、ふつうに生きている人が気づく機会を持てない世の中といえます。

僕が真っ当だと思うことをダラダラしゃべるだけの動画は、インターネットを通じて、多くの皆さんに観てもらっています。その動画は、ほかの人が切り抜いたりしてユーチューブにアップされていますが、それが何十万回、ときには数百万回も再生されています。異常なことなんですけど、それだけ、世の中が信用できないってことなのだと、僕は受け止めています。

僕はほぼ個人事業主的に生きていて、巨大組織に属しているわけではないし、巨大スポンサーがバックにいるわけでもありません。それに、ある程度お金を稼いだので、お金を稼ぐ必要はありません。

加えて、**僕は現在フランスに住んでいるので、そもそも日本に忖度する必要はないんです。**このままフランスに住み、永住権（10年ビザ）が得られれば、EU圏内のどこでも住むことができるようになります。

また、僕は日本のインターネット黎明期《れいめいき》からネット文化にかかわってきたので、「正しい情報がどこだとすばやく得られるか」「ネットで流れる情報の真偽をどうやって確認するか」については、ほかの人よりも明るいと思っています。とくに匿名《とくめい》掲示板「2ちゃんねる」関連で裁判沙汰《ざた》になったこともあるし、新しいビジネスをするにあたって、人からウソをつかれたり、騙《だま》されたりした経験もたくさんあります。

また、日本だけでなく、海外で流れている外国語の情報を得る機会も多いです。学生時代に留学で、社会人になっても仕事や遊びで外国に行く機会は多かったので、日本語と英語、それにフランス語も、現地で生活するのに困らない程度はできますしね。

不都合な現実を知れば、生きるのがラクになる

この本では、僕にとって当たり前、真っ当だと思うけど、なかなか日本では認識されていない事柄について100ほど紹介しました。

並べてみると、ネガティブなことをけっこういっています。でも、それは別にこの本を読んでいるあなたを不安にさせたり、絶望させたりしたいからではありません。

むしろ、**この本に書かれているネガティブな事実や、この社会の仕組みについて知っておくことが、皆さんにとってプラスになると思っている**のです。

たとえば、日本の将来が暗いということは変えられない事実でも、そのことを知って生きるのと、知らない（あるいは見ない）まま生きていくのでは、あなた個人の将来は大きく変わるでしょう。

現実をちゃんと認識できていれば、「じゃあどうすればいいのか」を自分なりに考え、対策を立てることができるはずだからです。

別に日本がこれから残念な国になっていっても、個人レベルで幸せに生きることは十分できます。**「国・社会の幸福」と「自分の幸福」はまったくの別物で、それを切り分けて考えることが、これからの社会をうまく生きていくための大事なコツ**だと思っています。

ということで、前著『ラクしてうまくいく生き方』のときにもいいましたが、気負わずだらだらと読んでくだされればと思います。それができるように、すべての項目を1見開きで終わるくらいに短くまとめました。

そして、絶望的なことを知ったうえで、それでも絶望せずに生きていく処方箋として使ってくれたら、それがこの本の存在意義になると考えています。

ひろゆき

CONTENTS

第2章 お金と経済の現実

第3章 仕事とキャリアの現実

第4章 結婚と教育の現実

第5章 能力と才能の現実

執筆協力：中隠道、中野一気（中野エディット）
装丁：渡邊民人（TYPEFACE）
本文デザイン・DTP：清水真理子（TYPEFACE）
イラスト：wako
イラスト協力：西村ゆか
校正：鷗来堂

第1章

日本という国の現実

わが臣民と私は双方が満足する合意に達した。
臣民は言いたいことを言い、
私はしたいことをすることができる。

フリードリヒ2世（プロイセン王）

人口が減る日本の未来はなかなかに暗い

日本の人口は減り続けています。２００９年がピークで、２０２０年には前年と比べて50万人以上も減少。２０５０年には９７００万人くらいになると予想されています。**人口はそう簡単に増やせないので、この流れはどうしようもないでしょう。**

人口が減ると買いものをする人が減るし、働く人も減ります。そうすると国の経済力を測るＧＤＰ（国内総生産）も減りますね。いま、日本はアメリカ、中国に次《つ》ぐ世界3位の経済大国ですが、この順位はこれからどんどん下がっていくはずです。

そんななか、「人が足りなくても、ロボットなどの技術革新で、日本はまだまだ発展できる」という声も聞きます。でも、そんなに楽観視していいのかな……と僕は思います。

もちろん、これからも発展する企業や個人は出てくるでしょう。

しかし、**歴史を見ると、人口が減り続けているのに発展している国は、基本的にありません。**

これは経済だけの問題ではありません。技術や文化、知識のレベル低下にもつながります。

人類が発展したのは農業・畜産業のおかげです。農業や畜産業が発達して、効率的に食べものを手に入れられるようになったから、みんなが農業をやらないでもよくなった、つまりヒマな人が出てきたんです。その人たちが道具をつくったり、学者になったりして、国の技術や知識のレベルが高まったということですね。

国として〝余力〟がないと、国の維持に必要ない予算はどんどん削られます。「学者がいなくなっても、別に困らないよね」と、学者の予算がまず削られます。実際、国立大学向けのお金（運営費交付金）は減っています。日本はどんどん余裕のない国になるので、技術や知識のレベルも下がりそうなのです。

国に余裕がなくなると、
経済も文化も、
レベルが下がるのです。

日本の20代の半分くらいは貯金がゼロ

日本の2人以上世帯の平均貯金額は1436万円、単身世帯は653万円です。「え！自分はそんなに貯金なんてないよ!?」と驚くかもしれませんが、これは「平均値のマジック」。平均値はとんでもない金持ちがちょっといるだけで増えます。

じつは、いまの日本には「貯金ゼロ」の人がたくさんいます。20代ならだいたい4割以上が貯金ゼロ。なかには若くして失業したり、ギャンブルで借金をしたなど、本当に貧乏な人もいます。けれど、**ちゃんと就職して毎月お給料をもらっているのに、家賃やら奨学金の返済やら生活費やらを支払うと、手元にお金が残らず、ふつうに働いているのに貯金がゼロ、という人がわりかしいます**（こういう人をワーキングプアといいます）。

ホームレスの人が生活に困って、刑務所に入るためにわざわざ軽犯罪をすることもあり

ちょっとずつでいいから
貯金はできるときに
しておきましょうね。

ます。刑務所には食べものも寝るところもあり、作業にはちゃんと「作業報奨金」というお給料も出るからです。

平均で毎月４３００円ちょっとですが、刑務所ではお金の使い道がないから、勝手に貯まりますね。1年間で5万円。20年も入っていれば、１００万円貯まります。すると、**刑務所にいる人のほうが、ふつうに働いている人よりも貯金がある……**なんてことも起こるのです。

ちなみに30代だと、貯金ゼロの割合は2割ぐらいに下がりますが、40代、50代、60代、70代では、その割合はだいたい2割前後。これ、**30代になって貯金ゼロの人は、一生そのままになることを示しているのではないでしょうか。**

貯金をしない若い人のなかには、「お金を使って遊ばないとストレス発散できません。貯金はそのうち考えます」なんていう人もいます。でも、そんなふうだと貯金ゼロのまま老後になることだってありえますね。

若い人が選挙に行っても、政治は変えられない

若い人に向けて「選挙に行けば政治を変えられる」とよびかける人がいますが、これはウソですね。日本は平均年齢が48歳の、高齢社会だからです。20歳から39歳までの日本人は、40歳以上の人の3分の1しかいないんです。

となると、**20歳から39歳までの人が全員選挙に行ったって、40歳以上の人の多くが選挙に行ったら、そちらの意見が尊重されます。**40歳以上の人の投票率は5割に近いので、39歳以下の人ははじめから〝負け戦《いくさ》〟。どんなにがんばっても、人数で勝てません。

もちろん「選挙に行けば政治を変えられる」というメッセージは、まったくのウソではありません。高齢者が政治を変えたいのなら、事実です。高齢者が全員選挙に行けば、政治家も彼らが望む政治をするでしょう。でも、少数派の若者の全員が選挙に行っても、若

者向けの政治が行われることはありません。

いまの日本政府は、与党《よとう》も最大野党《やとう》も、高齢者向けのことしかいいません。高齢者が受け取る年金や医療費を抑えないとまずいとわかっているのに、なかなか手を入れません。

一方、子育て・少子化対策だとか非正規社員の就労支援など、若い世代のための政策はなかなか実現されません。**政治家も、高齢者にウケる政策をしないと選挙で勝てないのが、いまの日本の現実なのです。**若者の支持を集めて選挙に勝つ人もいるでしょうが、政治を変えるほどにはなれないでしょう。

こういうウソをつくのって、よくないとぼくは思います。というのも、このウソは「若者が選挙に行かないから、政治が高齢者好みのものになっている。いまの政治が悪いのは若者の責任だ」といっていることの裏返しになるからです。

明らかに間違っています。**若者が全員選挙に行ったって初めから勝てないこの仕組みこそ、政治が変えてほしいですけどね。**

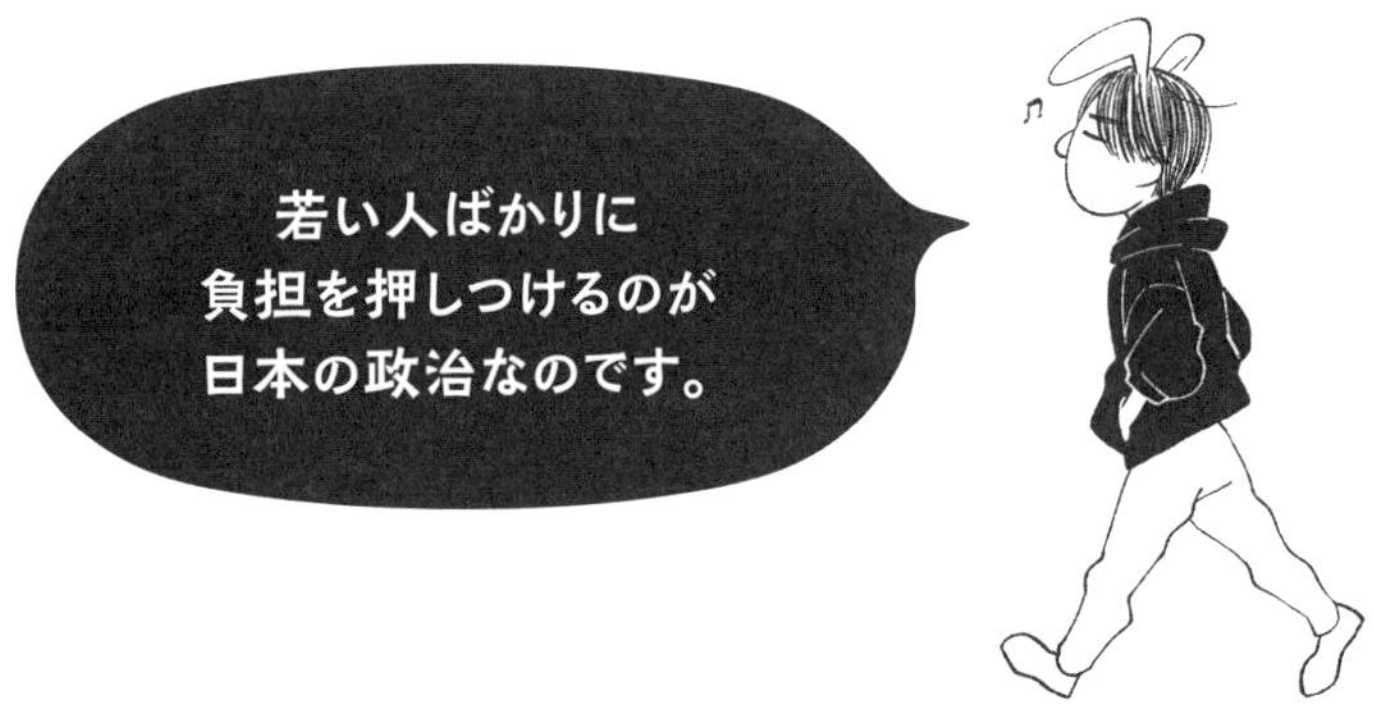
若い人ばかりに
負担を押しつけるのが
日本の政治なのです。

日本が財政破綻する可能性は、ある

日本の財政について、世の中には「自国通貨（円）を発行している日本は、借金しまくってお金をばらまいても財政破綻《はたん》しないから大丈夫」という考えを持っている人がちらほらいます（これをＭＭＴ：現代貨幣理論といいます）。

でも、財政破綻しないのは借金ができるあいだだけです。僕たちだって、お金を借りようと思えば消費者金融などからお金を借りられます。でも、それをずっと続けて、**いよいよお金を貸してくれる人がいなくなったら、もう破産するしかないわけです。**

国もこれと同じ。ＭＭＴの論者たちは「国が借金をできなくなるまでは、借金しまくっても問題ない」と主張しますが、問題は「国が借金できなくなるタイミングが、だれにもわからない」ことなんです。

最悪の事態も
考えておいたほうが
いいですよ。

だいいち、**国が借金しまくっても破綻しないなら、そもそも国民から税金をとる必要なんてないはず。**でも不思議なことに、「日本を無税国家にしても大丈夫」と口にする人はいません。

ちなみに、国の借金（国債）の大部分を買っているのは日本国民で、「自国民が国債を買っているから大丈夫」という人もいます。でも、国債を買っている人たちは「国債を買えば安全にお金を増やせる」と思っているから買っているだけです。日本円の価値がどんどん下がって、「海外に投資したほうがぜんぜん儲《もう》かる」となれば、日本の国債をだれも買ってくれなくなる可能性は十分にあり得ます。そうしたらもう、日本の財政は破綻ですね。

ただし、**日本という国が財政破綻しても、国民がみんな死ぬとか、どこかの植民地になるわけじゃありません。**年金とか失業手当とか、それまで国が出してくれていたお金がなくなるとか、公共サービスが悪くなるくらいです。

100年後くらいには、尖閣諸島は中国の領土かも

たまにニュースで、「尖閣《せんかく》諸島周辺で中国の船が勝手に航行していた」ということがニュースになったりしますよね。中国は尖閣諸島だけではなく、東南アジアの南沙《なんさ》諸島でも同じようなことをしています。

中国が尖閣諸島などを自分のものにしようとしているのは、本気で「世界の覇権《はけん》」を狙っているからです。いま、世界の覇権を握っているのはアメリカです。それに対抗しようとしているんですね。もし今後、中国がアメリカと戦争をしようとしたときにいちばん困るのは、「太平洋に自由に出られるルートがない」こと。中国はたくさんの戦艦をもっていますが、いまのままだとその戦艦を自由に動かせないのです。

でも、もしも中国が尖閣諸島を占領して海軍の基地をつくれば、その周辺の海も中国の

領海になりますから、中国海軍が自由に動けるようになるわけです。いきなり基地をつくるのは難しいでしょうが、たとえば少しずつ中国の人を住まわせて、**「中国人がここで生活しているんだから、ここはもう中国ですよね？」**と主張するようになるかもしれません。

実際、同じようなことはすでに北方領土や竹島で進んでいます。ロシア人や韓国人が住みはじめているのです。こうした人々が長年住んでいる実績ができると、「ここは日本の領土です」という主張が国際社会的には受け入れられにくくなります。自衛隊を派遣して強制的にその人たちを追い出そうとしたら、逆に日本が非難されるかもしれません。

尖閣諸島もそんな感じで、１００年後（あるいはもっと早く）には、しれっと中国の領土になっていることはあり得ます。いまの日本の政治を傍観《ぼうかん》していると、そういう難しい領土問題を解決できるような能力があるようにも見えませんしね。

日本の政治力じゃ
とても領土問題は
解決できなそうですね。

地方の創生は難しい

日本の政治家は「地方創生」という言葉をよく使いますね。人口が減った地方を魅力あるものにし、東京の一極集中を避けるというもので、担当大臣までいます。

政治家が「地方創生」を叫ぶのは、そういっておけば自分の選挙区で投票してくれる人が増えるからでしょう。でも、いまのままでは地方創生なんて無理だと僕は思います。

人口が減った地方に人を戻すためには、日本全体の景気をよくするしかありません。歴史を見ても、地方都市が活性化したのは高度成長期という日本全体が絶好調だった時期でした。その後、バブルの崩壊で長い不景気が始まると、どんどん地方から人がいなくなってしまったのです。

不景気だと地方に仕事がなくなって、都会に人が集まります。人が集まると新しい仕事が生まれますし、社会インフラも充実します。

逆に、地方はますます人がいなくなって、仕事もなくなり、インフラにかけられるお金も足りなくなります。そうすると、電車の本数が減ったり、そもそも廃線になったりしちゃって、ますます不便になっていくのです。

もし、高度成長期のように日本経済全体がものすごくよくなれば、地方にも人が行くようになります。レジャー目的で旅行する人が増えたり、田舎《いなか》暮らしをしたい人が増えたりするかもしれません。すると、そういう人たちをターゲットに、地方で新しい仕事が生まれたりしますよね。

でも、すでにほかの項目で説明しているように、**人口も減少し続けている日本が、これから経済的にすごく盛り上がることはまったく期待できません。**

地方創生は夢物語で、都会と地方の差は開いていくばかりだと考えるほうが、残念ながら自然なのです。

大成功を望まないなら
地方でのんびり暮らすのも
悪くないですけどね。

日本が中国に支配される可能性はある

「中国が日本を支配する日が来るんじゃないか」といった陰謀論《いんぼう》のようなのを耳にすることがあります。僕は陰謀論者ではありませんが、その可能性はあると思います。

たとえば2019年に、日本の国会議員が中国のカジノ会社から賄賂《わいろ》を受け取ったというニュースがありました。中国からお金をもらい、中国と仲よくしようとしている政治家がすでにいるわけです。

選挙で勝つにはお金が必要です。**国会議員になるのに1億円が必要だとして、もし中国が100億円出せば100人の親中派の政治家が生まれます。**

もちろん違法ですが、バレなければお咎《とが》めなし。毎年くり返されると、親中派の政治家が増えます。すると、そのうち「在日中国人にも参政権を与えよう」という話になる可能

世の中の変化って
知らないうちに
起きるんでしょうね。

性は否定できません。

たとえば、元俳優のアーノルド・シュワルツェネッガーさんはオーストリア系アメリカ人です。彼は大統領になる資格は持っていませんが、カリフォルニア州知事になりました。

とすると、日本でも、たとえばジャッキー・チェンさんみたいな中国人スターが日本のどこかの県知事に立候補し、「彼なら悪さしないでしょ」みたいな感じで、いつのまにか知事になるかもしれません。

というか、**中国人が日本の政治家になった前例はすでにあります。**立憲民主党の蓮舫《れんほう》さんは台湾国籍を持ったまま日本の政治家になりました。台湾を中国の一部とみなす中国人からすれば、彼女は中国国籍。ところが日本ではそんなことは意識されず、彼女が台湾国籍を持っていたことも気づかれませんでした。私たちが知らないうちに、日本の政治に中国の影響力が強まっていくこともあると思います。

日本は生活保護を受ける人が少なすぎる

日本の生活保護の受給率は1・6％程度です。10％前後のフランスやドイツと比べるとずいぶん少ないです。それに、生活保護の受給資格を持つ人の受給率も2割程度しかありません。おおかた5割をこえるほかの先進国に比べて少ないですね。**本来、生活保護を受けるべき日本人の5人に4人が受けていないといえるわけです。**

なぜ、生活保護を受けない人が多いのでしょうか。役所があれこれ理由をつけて、なかなか受けつけてくれないという話を聞くこともあります。でも、いざとなれば訴《うった》える気さえあるなら、絶対に受けられるはずです。

僕は、日本人はそこまでして生活保護を受けようとしない人が多いのではないかな、と思っています。「生活保護を受けるのは恥ずかしい」という気持ちや、世間のバッシングが気になるからかもしれません。

「生活保護は恥だ」と申請しようとしないのは、「働いて稼がなくてはダメ人間」という固定観念があるからでしょうか。

でも、**「能力がないこと」と「生活が苦しいこと」は関係ないはずです。** やりたい仕事が見つからず、生活が苦しいなら、さっさと生活保護を申請して、そのあいだに能力をみがいて仕事をするのがふつうだと思うんです。たとえば、知らない人が多いですが、じつは『ハリー・ポッター』の第1作目も、著者のJ・K・ローリングさんがイギリスで生活保護を受けながら書いた作品なんですよ。

日本人の生活保護に対する心理的なハードルが高いのは、そもそも生活保護を受ける人の絶対数が少ないからでしょう。だから、**みんながもっと気軽に申請して、生活保護を受けるのがふつうになれば、多くの人にとって生きていくのがグッとラクになるはずです。**

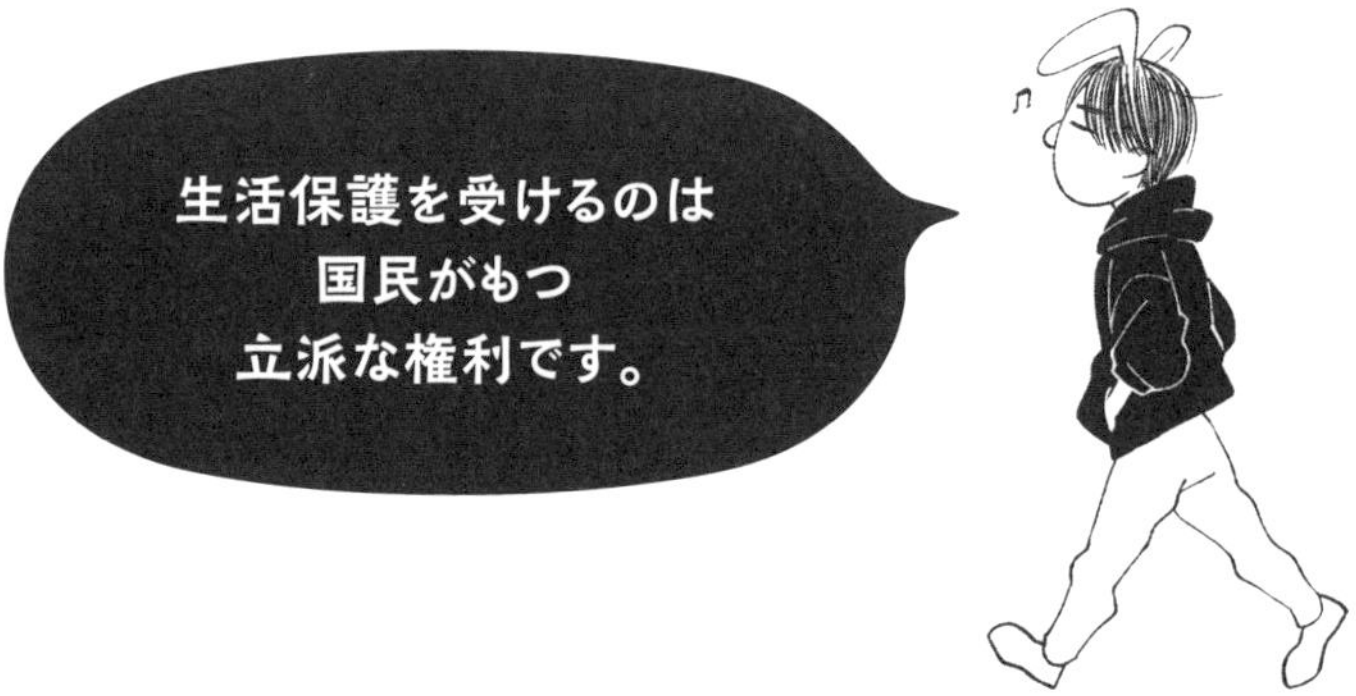
生活保護を受けるのは
国民がもつ
立派な権利です。

不況になると社会的弱者を叩く人が多くなる

生活保護を受けたほうがいいぐらい生活が苦しいのに、なかなか申請しない人が日本では多いです。その原因の1つは、生活保護へのバッシングが強いことでしょう。

生活保護だけでなく、障がい者への支援や、外国からの技能実習生に対する支援にも反対する人がいます。2016年には相模原《さがみはら》の障がい者施設で19人が殺される事件がありましたが、あの犯人のように、「弱者は社会に不要だ」と考える、あるいはそこまでいかなくても、「けっきょく世の中、弱肉強食だよね」と考える人はいます。

なぜこういう考え方をするのかというと、**社会的弱者が支援を受けて自分より恵まれた暮らしをすることが気に食わないからです。**自分はつらい思いで働いてようやく月に十何万円稼いでなんとかやっているのに、「あいつら、なにもしてないくせに、十何万円もも

収入が少ないと
心の余裕も
なくなりますよね。

らいやがって！」と怒りをおぼえてしまう。だから、生活保護や障がい者が支援を受けて幸せそうに暮らすことが許せないのでしょう。

もし、**自分が生活に困らないだけの収入があって、それなりに楽しく暮らしているのなら、こういう人たちに対する不満は起きないはずです。**「自分は月30万円稼いでるし、まあ別にいいんじゃない？」ってなぐあいですね。

これを考えると、不景気でみんなの給料が増えないままだと、こういった社会的に弱い人を叩く思想がはびこるかもしれません。それぞれの地域での最低生活費前後の収入しかなければ、不毛なバッシングも加速していく気がします。

あるいは、必死に働いても十何万円しか稼げなくて苦労している人たちこそが、気軽に生活保護を申請するようになればいいとは思います。お互い生活保護受給者どうしであれば、弱者叩きをする不毛な人も減るはずですから。

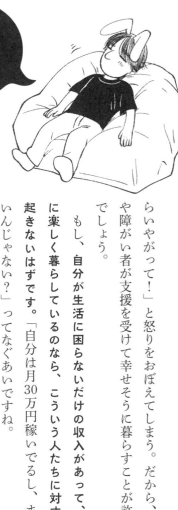

政治から優秀な人間はどんどんいなくなる

ちょっと前に、「東大生が国家公務員になるのを避《さ》ける傾向がある」というニュースがありました。なぜ避けるのか？　といったことが書かれてましたが、**なぜもへったくれもないですよね。国家公務員の給料が安いからです。**

国家公務員のキャリア試験に受かるような優秀な東大生が外資系企業に入れば、若くして年収2000万円くらいは稼げるでしょう。それに、国家公務員ってめちゃくちゃハードワークです。たとえば厚生労働省の職員だと、サービス残業をしまくって1日16時間働く人もたくさんいますから、対価が労力に見合ってないってことです。

もちろん、民間企業と違ってクビになる心配がないとか、定年後に天下《あまくだ》りできるとか、そういうメリットはあります。それでも、厳しい年功序列と、政治家とか上司に振り回される数十年を送るのは、なかなかしんどいことでしょうね。

それでも、**これまで優秀な東大生たちが国家公務員になっていたのは、「国のために役立ちたい」という高い志《こころざし》があったからでしょう。**

でも、森友学園の国有地売却をめぐる財務省の決裁文書改ざんの問題で自殺に追い込まれた赤木俊夫さんみたいに、悪いことをした組織の現場の人が死んじゃうことが日本では多いです。死なないまでも、なにか問題が起きると政治家の代わりに責任をとらされることは珍しくありません。国のために働きたいと思ったのに、実際にやるのは特定の政治家を守ることだったりするわけです。

なので、優秀な人が国家公務員にならなくなるのはぜんぜん不思議ではありませんが、これはやっぱり日本にとって損だとも思います。優秀な人が政治にかかわってくれるような環境に変えていくべきだと思うのですけどね。

移民の受け入れで若者の給料は安くなっていく

少子高齢化が進み、経団連《けいだんれん》などの経済界は、外国人の移民の受け入れを主張してきました。そうした声を反映するかたちで、日本では２０１９年４月から単純労働者の受け入れも可能になっています。移民の受け入れは今後も進むでしょう。

こんなふうにいうと、アジアの人たちが日本で働きたくてうずうずしているように思われるかもしれませんが、**べつにアジアの人って日本に来たいとはそれほど思ってないんですよね。**景気は悪いし、これから伸びていくようにも見えませんから。

医者やプログラマーなど、特定の技能を持つ外国人はもともと日本で働くことができたわけですが、大卒の優秀な外国人が積極的に日本に来るとは思えません。そういうスキルを持っている人は、アメリカとか中国とかに行くんじゃないでしょうか。

ということを考えると、これから日本で増える移民は、そういう技能を持たない人たちでしょう。カンボジアなどの裕福でない人からしたら時給500円でも高額なわけで、日本人がやってきた仕事を彼らが安くやることになります。

少子高齢化対策で移民を増やすのは、僕にはいいことには思えません。人手が足りないなら、人を雇うために時給を上げるのが経済的にはふつうなのに、外国から「500円でも働きます」という人が増えたら、時給は下がりますからね。

時給が上がると困るのは、安い労働力を確保したい経済界のエライ人や、働く必要がなく、ただ商品が安ければいいと考えがちな高齢者です。

彼らからすれば移民が増えるのは大歓迎でしょうが、若い人にはたまったものではありません。ベーシック・インカムなど、働かなくてもお金が入る仕組みがなければ、移民が増えるにつれて社会はますます乱れていくと思います。

安易に移民を増やすのは
よくないと
思うんですよね。

食料自給率は低くても問題はない

農林水産省が発表した日本の食料自給率は38％（2017年）。この数字から「日本はヤバイ！」などと考える人がいますが、心配にはおよびません。

というのも、この食料自給率はカロリーベースで計算しているからです。これはつまり、「日本人が摂取《せっしゅ》するカロリーのうち、どれだけを日本でまかなっているか」ということです。カロリーの高い小麦粉や、油などをたくさん輸入していたら、カロリーベースの自給率は下がります。

逆に、カロリーの低い野菜の自給率がわりと高くても、食料自給率にはあまり反映されません。ちなみに**生産額ベースでの食料自給率だと66％と大きくはね上がります。**

同じ統計を品目別にみると、野菜の自給率が79％とかなり高いのにくらべて、小麦の自

輸入するのが難しい
野菜の自給率のほうが
大事ですね。

給率は14％、油（油脂類）は12％とかなり低くなっています。

いまの日本人はパンやパスタをよく食べるし、サラダ油やラードもよく使いますから、当然、全体の自給率は下がります。でも、小麦粉は世界中でつくれるし、外国から買ったほうが日本で生産するよりも安いから、輸入すればいいだけですよね。ラードなんかもそうです。

逆に、輸入するのが難しい野菜の自給率を気にしておけばいいわけです。先進国で農業国ではない日本の食料自給率は、まあまあの水準といえるのではないでしょうか。

じゃあ、なぜ農林水産省はカロリーベースで計算するのか。**日本の食料自給率が低いという印象を持たせたほうが農林水産省にまわる国家予算が増え、好都合だからでしょう。**こんなことは、本当はどうでもいいのです。数字にはだいたい、なにかしらの意図《いと》が隠されているものです。

日本企業は能力ではなく「忠誠度」で人を評価する

有能だけど休暇をしっかりとって定時に退社する社員よりも、ダラダラと残業する無能な社員のほうが上司のウケがいい、ってことが日本の会社ではよくあります。どう考えたって定時退社できる有能な社員のほうがいいに決まっているのですが、日本ではそうならないいんですね。

日本の多くの会社では、部下の能力値よりも忠誠度が重視されます。これは日本の会社だと、出世してもたいして給料が上がらないからです。係長、課長になったところでそんなに給料は変わらないから、すごい成果をあげて出世を目指すより、自分の働いている環境が快適である方向に流れていきます。

こうなると、**優秀でムカつく部下がいるよりは、無能で自分の思い通りに動いてくれる**

部下で固めたほうが快適、ということになる。残業に嫌な顔ひとつしない部下は、上司からすれば「自分の命令に従ってくれるやつ」です。こういった部下が多いことが、上司には望ましいことになります。

そんなわけで、日本の企業では結果よりも「快適さ」が優先されがちで、外国に比べて利益率が低いことにつながっているわけです。これは日本社会の構造の問題なので、そう簡単には変わらないでしょう。

このような日本の会社では、**どんなに上司がバカをしても、部下が間違いを指摘することはなんの得にもならず、たんに嫌われるだけ。**自分の考えをストレートにいうのではなく、「こういう答えが必要なんだな」と想像しながら、うまく切り抜けるしかありません。

それがいやだったら、そんなつまらない会社は辞めて転職することをおすすめしますね。

こういう会社の場合
成果を出すより
おべっかが効果的です。

日本は世界から存在を忘れられている

たまに「日本はスゴイ」的なテレビ番組があったりします。でも実際のところ、日本の技術や文化が世界でほめられるなんてことは、残念なことにほとんどありません。でも、「日本は遅れてる」「日本はダサい」と叩かれることもありません。なぜなら、「日本の存在は、もう忘れられている」というのが現状だからです。

でも、**これはべつに不思議なことじゃないです。** たとえば、日本でギリシャやトルコが話題になるかっていうと、「トルコ料理はおいしいよね」とか「ギリシャはオリンピック発祥《はっしょう》の地だよね」くらいの印象じゃないでしょうか。それと同じで、みんな日本という国の名前くらいは知ってますが、それ以上は知らない。ほめられることもなければ、叩かれることもない、遠い異国というポジションです。

ちなみに、「クールジャパン」という、日本政府が力を入れて日本のアニメとか技術を世界に発信する取り組みがありました。でも、いまこうした取り組みは、むしろ韓国がうまくやっているように見えます。アメリカとかヨーロッパで韓国というと、韓国映画、サムスン、Ｋ－ＰＯＰの３つですね。最近は『パラサイト』という作品がアカデミー賞を取って、韓国映画もわりと知られていますし、アイドルグループのＢＴＳなんかは、海外でも人気です。

でも、**じゃあ韓国の影響力が国際的に高まっているかというと、別にそんなこともありません。**慰安婦《いあんふ》問題なんかほとんど知られていません。そもそも、隣国と小競《こぜ》り合いがあるのはふつうのことです。日本人だって、イギリスとフランスが毎年漁業権で争っていることなんか知らないですよね。要は、韓国も日本もとても遠い、どうでもいい国で、ましてや韓国と日本の争いなんかほとんど話題になっていないのです。

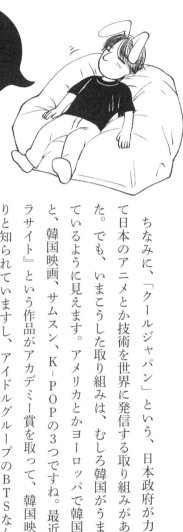

ウソつきのほうが勝ちやすい

初めて新幹線を建設させた十河《そごう》信二という人は「新幹線の父」とよばれています。ところがこの人、新幹線の建設を国会で認めさせるにあたって、大ウソをついているんです。いったん工事が始まったら途中でやめられないのをいいことに、実際にかかりそうな額よりもはるかに少ない経費で建設できるってウソをついたわけです。

これは僕の想像ですが、彼としては「ウソをついてでも、新幹線を実現させたほうが日本のためになる」といった確信があったのでしょう。

いいか悪いかは別にしても、**実際のところ、世の中では大ウソつきの主張がまかりとおることがたくさんあります。**イギリスで２０１６年におこなわれたＥＵから離脱するかどうかを問う国民投票でも、離脱派が並べたてた離脱のメリットにウソがありました。そのことを当時のキャメロン首相をはじめ多くの人が指摘していましたが、結局、離脱派が勝ちました。

安倍晋三《しんぞう》元首相も、柱となる政策の１つに、物価の２％上昇をかかげましたが、実現しないまま長期政権を続け、やめました。ウソをつくのは選挙に勝ちたいなどの理由からですが、日本だとたとえウソがばれても困ることはないようなので、**世の中は「ウソをついた者勝ち」になってしまっています。**そういう社会がいいとは思いませんが、とにかく、世の中がそうなっているということは、知っておいたほうがいいでしょうね。

そんなウソがまかり通って実現したのが２０２１年の東京オリンピックです。招致段階で７３４０億円と報告された大会経費は、新型コロナが流行する前の２０１９年12月の時点で１兆３５００億円とほぼ倍増し、21年には１兆６４４０億円にまで増えています。新幹線のような結果オーライになるかどうかは、みなさんの判断次第……ですね。

地位や権力のある人は逮捕されにくい

2019年に池袋で、元通産省（現経産省）の役人が母子をひき殺した事件があって、明らかに犯人なのに逮捕されないことが物議をかもしました。日本では、こんなふうに**「上級国民」と揶揄《やゆ》されるようなエライ人が逮捕されないことが、しばしばあります。**日本オリンピック委員会の会長だった竹田恒和《つねかず》さんは皇族の家系ですが、20代のころに運転で死亡事故を起こしていながら、なぜかいまだに逮捕されていません。

地位や権力のある人がなかなか逮捕されないのは、ふつうの逮捕の流れで留置場にぶちこんだりするとエライ人たちから怒られるからだと思います。たとえば、たまにエライ人が捕まるとき、新聞やテレビで「○×さんがこんなことをしました」なんて罪状が明らかにされているにもかかわらず、実際の逮捕まで1日～2日かかることがあります。その人を逮捕するにあたって、現場の刑事↓部長↓局長↓警察署長↓本庁の幹部↓エライ政治家、といったぐあいに「この人、逮捕していいですか？」という確認がなされているのではないかと疑いますよね。

理由はどうであれ、**ある一定の条件をクリアした人は、たとえ悪いことをしても、なかなか逮捕されない**という状況証拠はそろっているといえます。

日本の多くの人は、イギリスが階級社会だと思っています。でも、イギリス人の身分証に「貴族」だとか「平民」だとか書いてあるわけではありません。たとえば労働者だったらパブとよばれる立ち飲みのビール屋に行き、上流階級の人はサルーンとよばれる高級バーに行くといった棲《す》み分けが自然とできている、その程度のことです。

それに比べ、「上級国民」がなかなか逮捕されないというのは、どうみても日本は階級社会なんじゃないでしょうか。

警察のなかにも
いろいろ忖度が
あるんでしょうかね？

公平さを追求すると社会の分断が起こる

世の中にはいろんな人がいます。男女の違い、人種や民族の違い、職業の違いなど。いろんな人がいるけど、平和だとか環境保護だとか、共通の目的のために共存することが理想的なわけですよね。

でも、能力などが劣《おと》る人たちに対して、「立場が弱いカテゴリーの人たちだから、ゲタを履かせよう」と保護することは、最終的に平等ではなくなります。

特定のカテゴリーの人への保護をアファーマティブアクション（積極的格差是正措置）といいます。**アファーマーティブアクションをやると、マジョリティー（多数派）の人たちに不公平感をもたらすという残念な結果が出ています。**アメリカでは大学進学率が低い黒人を大学に入りやすくする一方、合格率が高いアジア系の人の合格最低点を高くするなん

てことから、「逆差別ではないか」との不満が起きています。

また、アメリカでは「白人は恵まれている」との考えでマイノリティー（少数派）の権利が増えていったのですが、その結果、白人男性たちの生活がきつくなりました。先進国はどこも平均寿命が延びていますが、**アメリカの白人労働者だけは平均寿命が短くなっています。**自殺したりドラッグにはけ口を求める人たちが増えたからだといわれています。

アメリカでトランプ大統領が誕生したのは、このようにマイノリティーが優遇されることに不満をつのらせた白人男性たちが支持したからです。トランプが大統領になってアメリカ社会が分断されたのではなく、社会が分断されたからトランプが支持されたのです。**分断を招いた一端は、皮肉にも「公平」の名のもとにおこなわれたマイノリティーの保護でした。**

特定の人たちにゲタを履かせるのが逆効果であることは、昨今のアメリカの姿から証明されていると思います。

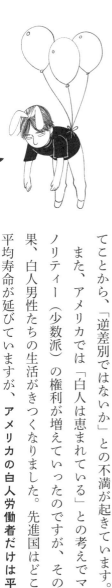

世界から戦争がなくなることはない

日本がこれから戦争をするかどうかは別ですが、世界から戦争がなくなるということはないでしょう。というのも、**自分たちが生きていくのに必要な分以上のものをほしいと考える人間の欲望がなくなることはない**と思うからです。

たとえば個人レベルで考えても、年収300万円でふつうに生活できている人が、年収1000万円もらえるチャンスに恵まれたら、年収1000万円ほしいと思うのが自然ですよね。

でも、年収1000万円のポストにつくということは、だれかがもらえるお金を奪っているということなんです。あなたがそのポストを断れば、代わりにほかの人が年収1000万円をもらえたはずですから。**基本的に、この世は取り合いなんですよね。**

ロシアがクリミア半島を併合《へいごう》したり、中国が新疆《しんきょう》ウイグル自治区を支配したりするのも基本的にはこれと同じです。別にクリミア半島とかウイグル自治区が手に入らなくても、ロシアや中国という国がなくなるわけじゃないですが、「もっと支配領域を広げたい」と考えるのはごく自然なことなわけです。だから、これからも戦争はずっと起こり続けるでしょうね。

ちなみに、**アメリカと中国が戦争を始めた場合、中国が勝つ可能性が高いんじゃないかなと僕は思っています。**なぜなら、アメリカは民主主義で選挙があるからです。

もし中国との戦争が起きてアメリカ人の兵士がたくさん死んだら、アメリカ国民の多くは「戦争はもう嫌だ」と、戦争をやめる候補者を当選させるようになり、アメリカのほうから戦争をやめるでしょうね。

でも中国は一党独裁ですから、中国国民が「戦争は嫌だ」といっても無視して戦争を続ける可能性が高いわけです。

きれいごとを言っても
結局は取り合いが
この世界なんです。

日本でしか暮らせない人はキツい

外国語ができると、日本を離れて外国で暮らすという選択肢が増えます。これはとても心強いです。実際に外国で暮らすかどうかは別として、**いざとなれば日本を去ればいいって思えるだけで、ぜんぜん心の余裕が違ってきます。**

僕は大学時代に1年間アメリカに行き、現地で働いた経験があります。そのときに「アメリカでも暮らせるな」と実感できました。その後、「2ちゃんねる」という掲示板のサイトを立ち上げた際に訴えられることが多くて、裁判沙汰とかに見舞われましたが、案外強気でいれたのは「困ったら日本を脱出してほかの国に行けばいいや」と思っていたからです。日本国内の判決なんて日本を離れたら関係ありませんから。

こういうふうに外国語ができ、外国に移住する可能性を持つと、日本にいるあいだも心

とりあえず英語とか
勉強しておくのは
損しませんよ。

にゆとりができます。

「日本以外の国で暮らすことなんて想像もできない！」という人は、日本の政治がどれほどひどくても、それを我慢するしかなく、かなりストレスフルになると思います。

外国語を習得して、いざとなれば日本を離れられるという自信を持っておくことで、かなり生きるのがラクになりますよ。

外国語を習得するメリットはほかにもあります。

たとえば英語を話すようになると、英語は結論を前に持ってきますし表現がストレートですから、**議論の下手な人が議論の得意なタイプに変わることがあり得ます。**そのように自分の性格が変わることを体験することは、自分を知るという意味でもプラスでしょう。

また外国の研究では、２か国語、３か国語を話せることは認知症の予防にも有効だといわれています。

いいこと尽くしです。

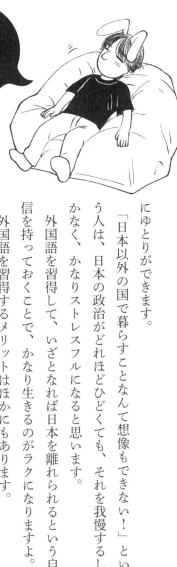

第2章

お金と経済の現実

取り引きのルールを教えよう。

「相手を騙すこと。相手もあなたを騙すだろうから」

これこそが商売の真の教訓だ。

チャールズ・ディケンズ

チャンスはお金持ちの人にだけやってくる

最近は、ふつうの人に「夢の配当金生活」を勧める人もいるそうです。投資信託の配当金などだけで、働かなくてもお金が入ってくるような生活ですね。

でも、投資信託だけで生活できるような人など、ほとんどいない現実は知っておいたほうがいいんじゃないでしょうか。

だいたい、**お金持ちの人が儲ける方法は、ふつうの人と同じではありません。**たとえば年収5億円ぐらいになると、証券会社から連絡が来て、一般には買うことのできない株を紹介されたりします。

僕も証券会社にかなりの額をつぎこんだ時期がありましたが、そのときには5000万円の株を4900万円で買える仕組債《しくみさい》（投資者たちのニーズに沿った特別のオプションなどを持つ金融商品）を買ったことがあります。これは、下手に売ったりしなければ確実に儲けられる話なのですが、一般には扱われていません。

また、当時は「○×という新規公開株があるんですけど、買いませんか？」という話を証券会社から持ちかけられたこともありました。新規公開株は公開前に入手して公開後に売ると、ほとんどのケースで儲かりますから、だれもが買いたがります。

いちおう、こういう新規公開株は、証券会社が抽選をおこなうことになっていますが、実際には太い客、つまり証券会社が仲よくしたい資産家のお客に割り当てられます。そのほうが証券会社も得しますからね。

金持ちには、ふつうの人とは違う情報とチャンスが巡《めぐ》ってきて、それで儲けられるのです。そもそもお金が数億円もないような人が配当金生活をするのはかなり厳しいので、配当金生活なんて、へたに目指さないほうがいいと思いますよ。

お金持ちの人にだけ
持ちかけられる話が
この世にはあります。

日本人の平均給与は下がり続けている

日本の完全失業率は3・0％（2021年5月）と、諸外国に比べて低いです。これを、安倍晋三元首相の功績の1つと評価する人もいます。**でも重要なのは、失業率が低いことがみんなの幸せにつながっているかどうかです。**

国税庁の統計をみると、1997年に467万3000円だった日本の平均給与は、2017年には432万2000円と下がっています。同じ期間のアメリカ、イギリス、ドイツ、フランスなどの平均給与が1割以上増えているのに対して、日本の場合は減っているのです。

また、2019年には年収200万円以下の人が初めて1200万人を超えました。**日本で働いている人が5000万人ぐらいだとすると、その4分の1近くの人が年収200**

万円以下なのです。

驚かされるのは、１２００万人を超えたのが史上初めてだということです。昭和の時代には、いまほど働きながら生活に苦しんだ人がいなかったことにほかなりません。

では北欧のように福祉が手厚いかといえば、どうでしょう。たとえばデンマークは税金が高いので手取りは少ないですが、仕事を辞めるとずっと失業保険がもらえます。日本は失業しても一定期間しか失業保険はもらえませんし、生活保護にも高いハードルがあります。つまり、高収入ともいえず、かといって福祉が手厚くもないので、失業率が低くても幸せな生活につながっているとはいえないのです。

ただし、**僕は別に、収入が少ないから幸せには生きられないとは思いません。**お金がなくても幸せに生きることはできると思います。ただ、多くの人はお金が多いほうが幸せになりやすいとは思ってますね。

収入が低くて
保障も少ない。
難易度高いですね

「経済が回らないと人は死ぬ」はウソ

コロナ禍《か》において、「経済を回さないと人が死んでしまう」と主張する人がちょろちょろいますよね。休業要請やお客さんの減少で経済的に苦しくなると、自殺する人が増えるという考えですが、ストレートに信じてはいけない意見です。

そもそも、**人は本当に経済が回らないと自殺を選ぶのでしょうか？** たしかに日本では景気と自殺者の数が関係あることが指摘されていますが、アフリカなどには、もう何十年も景気が悪いのに自殺者が少ない国も存在します。

日本で年収200万円だと低所得者ですが、世界の多くの人は年収100万円以下で暮らしています。要は、日本で景気と自殺者数が関係あるにせよ、それは経済状況そのものからというよりも、気の持ちようの問題なんじゃないかと考えられるのです。

お金がなくても
楽しく生きることは
できるはずです。

また、緊急事態宣言で外出する人が大きく減った２０２０年4〜5月には、自殺者の数が減ったというデータもあります。つまり、**給付金などのお金をもらって、働かないで、外出を控《ひか》えたら、自殺する人が減ったということです。**自殺者の数が減った直接の原因ははっきりしませんが、いずれにせよ、「経済が回らなくても人は死なない」ことがはっきりしました。

いまの時代、お金なんかなくたって楽しく暮らせます。にもかかわらず、「お金が回らないと人は死ぬ」というのは、「人はお金がないと死ぬのが当たり前」っていう価値観をつくり出しているようにしか思えません。

コロナ禍で経済上の苦労から自殺を選ぶ人がいるのも、本当は「人はお金がないと死ぬのが当たり前だよね」といった価値観の影響ではないでしょうか。むしろ僕は、**「お金がないから自殺するのって、よく考えたらヘンだよね」**という価値観をつくっていくべきじゃないかなと思います。

「奨学金」という名前は詐欺的

日本にはそこら中に「詐欺的行為《さぎ》」が転がっているので、注意する必要があります。「奨学金」なんかもその一例です。

奨学金は本来、成績が優秀な人に返済を求めずにお金を支給するものです。日本にもごく一部に、そのような「本当の奨学金」が存在します。でも、**日本の多くの奨学金は、利子を加えて返済しなければなりません。**これでは、単なる教育ローンです。

ちょっと考えてみてください。もしだれかから「お金あげるよ」といわれて、話を聞いてみると、「あとで利子もつけて全額返せよ」といわれたら、詐欺にあった気になるでしょう。日本の「奨学金」はこれと同類です。「本当の奨学金」と、「奨学金という名の教育ローン」を全部ひっくるめて奨学金とよんでいることに問題があります。

いま、日本ではだいたい半数の大学生が「奨学金」を利用しています。仕組みを理解したうえで利用している人のほうが多いでしょうけど、**なかには奨学金は借金だとちゃんと理解できてない人もいるのではないでしょうか。**

というのも、僕がインターネットでやりとりしていて、受け取った奨学金から学費や生活費を引いて余った分を「貯金」と認識している学生がけっこういたからです。これ、実際には貯金ではなく、単なる「使わなかった借金」ですから、返さなければいけません。

奨学金は卒業してから返済します。ただでさえ給料が減りがちな日本で、初めから借金をして働くのはしんどいですね。

とはいえ、**奨学金がなければ大学に通えないなら、やはり利用したほうがいいと思います。**ものすごく優秀で一生会社に勤めなくても生きていける人を除くと、会社に就職するには大学を出ておいたほうがいいからです。

奨学金じゃなくて
教育ローンって
いえばいいんですよ。

お金持ちと貧乏人の差は埋まらない

非正規雇用や年収200万円以下で働く人が増えるいまの日本では、経済格差の問題がよく語られます。

コロナ禍で一律10万円の定額給付金が支給された際も「年収1000万円のお金持ちにあげなくていいだろ！」なんて思った人もいるのではないでしょうか。

でも62ページでも説明したように、「本当のお金持ち」は働かなくても株や不動産の資産だけで大金が転がり込んでくる人たちのことです。

がむしゃらに働いている年収1000万円の人をやっかむのではなく、このような本当のお金持ちと貧乏人の格差を考えるべきですね。

じゃあ、どうしたらこういう格差は是正《ぜせい》できるのかということですが、正直、この差が

地道に働くより
資産運用したほうが
お金は速く増えるのです。

埋まるのはものすごく難しいです。

それを実証してみせたのが、ベストセラー『21世紀の資本』（みすず書房）を書いたフランスの経済学者トマ・ピケティです。彼は２００年以上の資産運用の史料を調べ、**世界の経済成長より、資産家が持っているお金を投資に回したりして儲かる速度のほうが速いということを解き明かしたのです。**

たとえば、アメリカの経済成長率が年２％だと、アメリカで働く人は翌年には２％給料が上がると考えられます。

ところがお金持ちはそれよりも速いスピードで資産が増えます。たとえば投資信託などでお金を運用すれば、年率３〜４％くらいのスピードで資産が増えていきます。

また、お金持ちのところには、ふつうの人には出回らない儲け話が舞い込んできます。こうして、お金持ちはどんどんお金持ちになっていくわけです。残念ながらこれが、いまの社会の現実なのです。

ローンを組んで家を買うのは「損する趣味」

僕は「本物のお金持ち」でない人が、ローンを組んで家を買うのはすすめません。賃貸にしておいたほうがいいと思います。

もちろん、東京の山手線の内側のように、これからも土地の価格が上がりそうな場所の家を買えるならいいでしょう。でも、**これから人口が減って高齢化も進むわけですから、郊外の土地と家なんか買っても損する可能性が大きいでしょうね。**

賃貸のほうがいいと思うのは、資産価値の点からだけではありません。人口が減って高齢化が進むエリアは、これから住環境が悪くなる可能性が高いです。

たとえば、すでに地方ではボロボロのマンションを取り壊すお金すらなく、ほっとかれて廃墟になっているところも少なくありません。そういう場所は収入の少ない人が集まって治安が悪くなり、さらに環境が悪くなるといった悪循環になります。

賃貸だったら、おサラバすれば済む話ですが、ローンで買っちゃうと価格が下がって買い手を探すことも難しくなりますから、仕方なく住み続けることになります。

いくら事前に調べ上げても、家のまわりの環境が悪くなるかどうかなんて調べられません。

人口が減ったからといってバス路線が廃止されたり、北海道の一部の地域のように、行政が資金不足で水道を維持することが困難になったりすることは、家を購入するときにはわからないものです。

お金持ちであれば、環境が悪くなりそうにない高級住宅地を購入できますし、とんでもないところだったとしても、やり直しができます。それが難しい人は、**賃貸でいつでも引っ越せるようにしておいたほうが安全**だと思うのです。

日本の株式市場はもはや不健全な状態

最近、投資する人たちの間でアメリカ株が人気です。「日本株を買おう」という人はまずいません。理由は簡単で、日本経済が成長しなさそうだからです。社会が高齢化して、人口が減っている国の企業の株式を買っても、儲からなさそうですよね。

逆に、アメリカはグーグル、アマゾン、アップルのような強い企業がたくさんあって、人口も増えている経済大国ですから、そういう国の株式にお金が集まるのは当然の話です。

また、日本の株式市場はふつうの状態ではありません。**日本の株式をいちばん買っているのが日本政府だからです。**

２０２０年末の段階で、日本の株式の最大の保有者は日本銀行、２位が年金積立金管理運用独立行政法人です。どちらも国の機関です。２つを合わせると、日本の上場している株式の14％にもなります。

日本の株価は、国が買い続けているから値下がりしないのですが、いつまでも続けられるわけありません。また、これを続けていると、**本来なら潰れるべき企業がゾンビのように生き延び、健全な経済成長を邪魔してしまいます。**

たとえば、グーグルはモトローラという会社の携帯電話の販売権を買い取って、成長の原動力のひとつにしました。こんなふうに、新しい会社が古い会社の特許やノウハウを買って新陳《しんちん》代謝《たいしゃ》が行われるのがふつうです。でも、日本では古い企業でも株式の値段がそれなりに高いので、若い会社が買収しにくくなっているんですね。

潰れるべき会社が伸びている会社に買われて淘汰《とうた》されるのが大事なのですが、いまの日本だとそれができません。投資家はそういう状況をわかっているから、アメリカの企業に投資をしようという流れができあがっているわけなのです。

ガソリン自動車関連の企業は、これから厳しい

自動車は日本の基幹産業です。トヨタ、日産など完成車をつくるメーカーだけではなく、自動車の部品をつくる会社や下請け企業など、関連する会社がたくさんあり、就業人口は542万人もいます。

これまで日本経済を引っぱってきた自動車産業ですが、自動車産業のウエイトが大きい日本の経済は、今後ますます苦しくなりそうです。

というのも、**これからはガソリン自動車から電気自動車に切り替わることが間違いないからです。**ドイツでは2030年、フランスでは2040年に、ハイブリッド車も含めたガソリン車の新規販売の禁止が決まっています。アメリカのカリフォルニア州も2035年に禁止になる予定で、この潮流《ちょうりゅう》はどんどん広まっていくことが予想されます。

こういうときに
割を食うのは
中小企業なんですよね。

日本だけがガソリン自動車でがんばるという選択肢もありえますが、世界で売られなくなるのですから、いまのままでは開発費の元も取れません。

電気自動車もつくれるトヨタなどのメーカーは生き残るかもしれませんが、電気自動車では使わないギアなどをつくる部品メーカーは生き残れないでしょう。

それに、**電気自動車や自動運転が主流になると、いまほど性能が重視されなくなるはずです。**すでに中国やフランスでは日本の軽自動車よりも安い、60万円〜80万円の電気自動車がわりと売られています。日本でも、近所に買い物に行くぐらいしか使わない軽自動車は、安価な電気自動車に代わりそうです。

ガソリン車の需要はなくなり、自動車もいまのようには利益をあげられなくなります。ほかの産業に転換するか、一部の富裕層の買ってくれそうな高級車に振り切るなどしないと、潰れていくでしょう。

日本の税制は資産家の人がトクをする

２０２２年10月から、年収１２００万円以上の人には児童手当がなくなります。これって「お金持ちだから手当いらないよね」という考えでしょうか？　僕はおかしいと思います。だって、年収１２００万円の人に「子どもはたくさんほしくないね」と思わせてしまうことにつながりそうなので。

そもそも年収１２００万円って、そんなにお金持ちじゃありません。世の中には金融資産が1億円、２億円ある人がいますが、彼らこそ本当のお金持ちです。年収１２００万円をもらう会社員は、だいたいが毎日働きどおしで土日も仕事のことを考えたりする人たちでしょう。会社員だと、年収から税金や社会保険など3割ぐらいが差し引かれて、手取りは８５０万円ぐらいです。住宅ローンや自動車ローンを払い、子どもが２人もいたらせいぜい月に10万円ぐらいしか貯められないでしょう。そんな生活を20年間続けても、貯金は２４００万円なのです。

逆に、資産2億円の人が、そのお金を全部アメリカの投資信託（インデックスファンド）で運用していたりすると、彼らの収入は年間で８００万円近くになります。株で儲けたお金に対する税金は一律20％しかかからないので、なにもしなくても年間５４０万円が転がり込んでくるわけです。

日本の税制はサラリーマンには厳しく、逆に働かずに大金が得られるお金持ちが得するようになっています。僕なんかは、こういう「本当の金持ち」から多めに税金を取るほうがいいのではないかと思うのですが、代わりに年収１２００万円以上の〝金持ちっぽい人〟がターゲットにされるわけです。

徳川家康の名言に「百姓（庶民）は生かさず殺さず」がありますね。この体質はいまも変わっていないようですね。

会社員のままだと
がんばっても報われにくい
ってことです。

個人の自由を制限したほうが経済が回ることもある

これまで多くの人が、民主主義の国と社会主義の国とでは、民主主義国のほうがうまくいくと考えてきました。第二次世界大戦後、民主主義国のアメリカや西ドイツなどみんな自由に経済活動をやらせたほうがうまくいき、逆に社会主義国のロシア（ソ連）や東ドイツなど、政府が経済をコントロールしようとした国はうまくいかなかったからです。

でも、**じつはいま経済的に成功を収めている国のなかには、社会主義的な側面をもっている国も少なくありません。**たとえばシンガポールは表向き民主主義国ですが、実際は独裁政権が経済に全振りしている結果、めちゃくちゃ経済が伸びています。

中国もそうです。政府の許可なしでは労働争議ができませんから、地方政府と結託したブラック企業がどんなに労働者に無理をさせても、労働者は従わざるをえません。

強制力があるほうが
うまくいくことも
あるみたいです。

労働者からみればひどいことですが、だからこそ安くたくさん商品をつくれるのです。日本の１００円ショップで売られている商品を扱う会社からすれば、ブラック企業だろうとなんだろうと、安く請け負ってくれる工場のほうがいいですよね。

こうして、労働者の人権が守られない中国に仕事がどんどん発注されるわけです。

また、新型コロナが世界で猛威を振るっているなかでは、感染をうまく抑え込むことは経済を回す上で必須です。これも、**中国みたいに感染者の人権を考えない国のほうがすばやく経済を復活させられたりしています。**

「自由大好き」なヨーロッパでは感染が落ちつく気配がありませんし、日本政府も「自粛をお願い」することしかできませんよね。どちらも個人の権利を尊重することが足枷《あしかせ》になっています。自由を放棄して個人の権利を制限するほうが、経済は回ることもあることが立証されつつあるみたいです。

タワーマンションには住むだけ損

何十階建てのタワーマンション暮らしにあこがれをもっている人もいるかもしれませんが、**タワマンなんてぜんぜんいいものじゃありません。**東京・山手線の内側で、投資のために買うならまだわかりますが、その他のエリアのタワーマンションを買って、自分で住む人たちの気がしれません。

たとえば、最近人気のある武蔵小杉エリアのタワマンは、そもそも居住環境に問題があることが以前からわかっていました。短期間で急速にマンションが増えたのですから、下水道などのインフラが追いついていないのです。駅はかなり混んでいて、通勤時間帯は地獄です。そしていったん悪評が立つと、価格は下落し続けます。

バブル時代に建てられた熱海などのリゾートマンションのなかには、資産価値が下がって売るに売れず、廃墟化しているものがあります。数十年後、いまのタワマンも同じ運命をたどるんじゃないでしょうか。たぶん数十年後には環境の悪さから居住者が離れていくでしょう。すると、管理費や修繕積立金が足りなくなって、壁や水道管の補修がすぐできなくなったり、警備員を雇ったりすることが難しくなります。そうなると**ますます資産価値が下がり、売るに売れなくなり、ボロくなったタワマンにがまんして住むほかない**、ということになりそうなのです。

そもそも、タワマンって住んでもそんなに快適じゃありませんよ。エレベーターがなかなか来なくて、エントランスから自分の部屋まで10分くらいかかることはよくあります。それに、タワマン内部でもマウンティングがあります。上層に住んでいる人が、中低層に住んでいる人を見下すというやつです。

結局、ふつうのアパートとかマンションとか貸家とかで暮らすのが幸せなんじゃないですかね。

タワマンは
住んでもそんなに
快適じゃないです。

年金は払わないとバカを見る

「どうせ自分たちが高齢者になるころにはもらえる年金が減っているだろうから、払わなくてもいいんじゃないか」と考える若い人も多いのではないでしょうか。僕も「年金を払う必要ってあるんでしょうか？」という質問を受けることがあります。

僕は、**年金は払っておいたほうが得だと思っています。**というのも、年金を払っていると、たとえば事故で右足を失ったりして障がい者になったときに、「障害年金」というものがもらえるからです。これがあると、最低限のお金がもらい続けられるので、なんとか生きていけるんですよね。

それに保険商品としても、国の年金は民間の「個人年金」なんかより優秀な商品だと思います。日本の年金の場合、年収から年金に払った分を差し引いた額が所得税の課税対象となりますから、**年金を払っておくと節税効果が期待できるん**ですよね。

民間の個人年金も少しは節税効果が期待できますが、掛け金全額が控除《こうじょ》される国の年金とは違い、条件や上限があります。民間の個人保険に入るくらいだったら、ちゃんと国の保険料を払ったほうがいいと思いますよ。

また、**年金を当てにせず、その分のお金を自分で投資するなどして増やそうというのも、あまりおススメできません。**

投資についてまったく知識のない人が下手にやるとかえって資産を減らすことになりかねませんし、当然ながら、投資をしても節税効果はありません。逆に投資で儲かったら、その分だけまた税金を取られます。

だいたい、会社員の場合は勝手に年金が毎月のお給料から自動的に差し引かれてしまうので、払うとか払わないとかを自分で決めることはできませんが。

年金払ってないと
いざというとき
困るかもですよ。

宝くじはバカの税金

宝くじは、基本的に買った瞬間に損をする仕組みになっています。なので、「バカであることに対して払う税金」などといわれたりしますね。

これはなぜかというと、**宝くじの場合、控除率が55％もあるからです。**控除率というのは、そのギャンブルに対してどれだけの手数料が差し引かれているのかを示すものです。簡単に説明すると、宝くじを1000円分買った瞬間、550円が発売元（地方自治体）などにもっていかれてしまうということです。

この控除率、パチンコやパチスロだと10～15％、競馬だと20～25％、オートレースだと30％とされているので、宝くじがいかに「ぼったくり」なのかがわかるのではないでしょうか。

もっといえば、競馬とか競輪であれば馬やレーサーのデータを調べて自分で勝率を上げたりすることもできるので、そういうのを分析する楽しみもあったりします。

でも、宝くじは完全なる運だのみ。つまり、当たる確率に対する自分の行動の影響力がゼロなんですよね。個人的にはなにが楽しくて買うのか、まったく理解できません。

もちろん、こういうことをすべて理解し、エンターテイメントの一環として宝くじを買うのは自由です。でも、一獲千金《いっかくせんきん》を狙うのはやめておいたほうがいいですね。

ちなみに、**地方自治体にお金を渡したいということであれば、宝くじを買うよりも「ふるさと納税」をやったほうが１００倍いい**と思いますよ。

お金を払えば確実に特産品などの返礼品がもらえますし、たとえ会社員でも節税の効果が期待できますから、よっぽどお得です。

世の中にはバカを騙して儲けるビジネスがたくさんある

「この投資法をやれば確実に儲かります！」とか「インスタグラムで成功する養成講座」とかをよく見かけます。インターネット上で金儲けだとかの情報を売っているのを情報商材といいますが、こうしたものの多くが詐欺まがいです。

考えてみれば簡単にわかることです。もし本当に確実に儲かる投資法がわかっているのなら、そんな情報は他人に売らず、自分で淡々と実践したらいいだけの話です。確実に儲けられるなら、いまごろはグーグルとかユニクロとかを買収できるぐらいになっているでしょう。

ネットワークビジネスの類《たぐい》も、勧誘する側はいかに儲かるかを力説しますが、結局は主宰するトップやその周辺の幹部にお金が集まる構造になっています。勧誘などされている時点で幹部になれません。お金を吸い上げられて終わります。

このように、少し考えただけでも怪しいビジネスだとわかるものが世の中にはいっぱいあります。**こういうものがはびこるのは、「人生で一発逆転できる」と都合のいいことを思いがちな頭の悪い人が世の中にはたくさんいて、カモになるからでしょう。**そういう人は、ごく一部の儲かってそうに見える人にあこがれ、騙されてしまいます。

バカを騙して儲けるビジネスをよいとは僕は思いません。けれども、「騙しても儲かればいいじゃん」とか「騙しても相手が気づかないならいいじゃん」といった考え方を持つ人がいなくなることはないでしょう。

だから、**大切なのは、少なくとも自分は騙されないように注意することです。**そのためには「人生を一発逆転させる」などというギャンブルをしようなどと思わず、地道な生き方を受け入れるということが大切だと思いますよ。

一発逆転を狙うのは
だいたい失敗の
もとになります。

保険金は満額払われるとは限らない

日本は8割以上の人が生命保険に加入しています。僕みたいに生命保険に加入していない人に、「万が一病気になったら、お金がなくて大変ですよ」という人もいます。

でも、万一のために備えるのなら、生命保険じゃなくてもいいですよね。保険って結局、自分が病気をしたり死ぬことにお金を払っているわけで、**僕だったら自分が健康であったり、長生きするほうにお金をかけるほうがいいと考えます。**

それに日本の場合、大金が必要な手術でも自己負担額を低額に抑える高額療養費制度というのがありますし、それすらも払えないほど収入が低いのであれば、生活保護を受ければいいはずです。

東京23区に単身で住むとして、家賃補助込みで月額13万円だかを得られるだけでなく、

保険会社のことを
信用しすぎない
ほうがいいですよ。

医療費もタダになります。

それに、生命保険に入っているからといって安心できるとは限らないのです。**生命保険会社の加入者が、病気になったのに保険金が支払われずに、裁判になる例はよくあります。**契約によっては、検査入院は保障の対象にならないとか、同じガンでも上皮内新生物《じょうひないしんせいぶつ》（皮ふや内臓の壁である粘膜にがんが収まっているもの）は満額の保障がされないなど、病気や治療の種類ごとに適用か適用外かなど、こまかく定められています。

病気になってから保険会社に苦情をいったり、裁判で争ったりすることは途方もない苦痛をともないます。また、裁判になれば保険会社は凄腕《すごうで》の弁護士を用意してくるでしょうから、勝つのも難しいし、裁判が長引かされているうちに亡くなるなんてこともあり得るのです。

保険会社も慈善団体ではありませんからね。病気になったからといって必ず助けてくれるわけじゃありません。

カードローンは体《てい》のいい借金

クレジットカードや銀行のローンを使う人が増えています。たとえば国内銀行のカードローン残高は、2006年が3兆4335億円だったのが、2017年には5兆8186億円と約1・7倍になっています。高額で現金一括払いでは難しい買い物も、分割払いにすると払いやすくなるわけです。

これがもし消費者金融のローンであれば、利用をためらう人が多いはずです。でも、クレジットカード会社や銀行のカードローンの場合、信頼できそうなところがやっているから と、収入の少ない人も安心して使ってしまうのではないでしょうか。

しかし、**これらの利率は年率約15%と、じつは消費者金融と変わりません。**軽い気持ちで借りると、いつのまにか返済が追いつかなくなりますよ。

これは前著『ラクしてうまくいく生き方』にも書きましたが、リボ払いも同じです。**意識せずに使っている人がいるかもしれませんが、リボ払いは借金をしているのと同じです。**

たとえば30万円のバッグを月１万円リボ払いで買えば、毎月１万円ずつの支払いでバッグが買えるように錯覚しますよね。でも、この月１万円の支払いには利子も含まれているので、利率を年15％とすると、単純計算すれば30万円のバッグを買うために35万８０００円を払わないといけないことになるわけです。損する買い物なんですね。

こうしたサービスが増えているのは、目先の支払額を少なくして金利分で儲けるという、消費者に勘違いさせやすいやり方が、銀行に大きな利益をもたらすからにほかなりません。あと、「これほしい」という欲求を我慢できない人が多いからです。

言葉の軽さに騙されることなく、こういうお金の仕組みを理解しておいたほうがいいですよ。

お金持ちになると人が信用できなくなる

お金持ちになりたいなあと考えている人は少なくないと思いますが、実際のところ、お金持ちになるといろいろなデメリットもあったりします。その1つに「人を信用できなくなる」というのがあります。

たとえば堀江貴文さんとか、たぶんもう結婚しないと思いますし、なかなか相手も見つからないと思います。お金持ちになると、**自分に好意を示す相手が「金目当て」なのか「本当に自分のことを好き」なのか、わからなくなるんですよね。**

これは恋愛に限った話ではなく、友人関係も同じです。自分が学生のころからずっと友達関係が続いている相手ならいいですが、お金持ちになってしまうと、それくらい信頼できる友人というのはなかなかつくれなくなります。

よく、お金持ちとばかりつるんだりしますが、自分と同じくらいのお金持ちなら、そういう下心は持っていないだろうと信用しやすいからなんです。

これは皮肉でもなんでもなく、自分がお金持ちじゃなければ、少なくともこういう心配はしなくてもいいですよね。

僕としては、お金目当てで近づくことが悪いとは思いません。とくに結婚して子育てをするのなら、お金があったほうがいいのは当たり前です。でもやっぱり、**自分に好意を持ってくれている相手を素直に信じられなくなるのは、すごく不幸な状態**だとも思うんですよね。

ちなみに、本当のお金持ちは自分からお金持ちといったりはしません。たとえば上場企業の大口の株保有者になると名前が公開されたりするので、自分でアピールしなくてもわかる人にはわかるのです。むしろ、近づいてくる人が増えるのはうっとうしいと思っています。

お金持ちになると
デメリットも
あるのですよ。

現金だけだと資産はどんどん目減りする

日本人は貯金が大好きです。日本銀行が２０２０年に出したデータでも、日本の家計における金融資産の内訳では「預貯金」が54・２％と大きな割合を占めています。アメリカの場合は「株式等」が32・５％、「投資信託」が12・３％、「預貯金」は13・７％ですから、いかに日本人が現金好きであるかがわかります。

僕としては、まず貯金がない人は最優先で貯金をしておくべきだと思っていますし、そういう人が投資でお金を増やそうと考えるのには賛成できません。でも、だからといって**何百万円ものお金を銀行に預けているから安心だと思うのも考えものだと思います。**

というのも、現金の資産は基本的に、時間がたつにつれてどんどん価値が下がっていくからです。たとえば以前だったら自販機の缶コーヒーの値段は１００円だったのですが、

２０２１年のいまは１２０円になっています。

これは缶コーヒーが値上がりしたとふつうは考えますが、逆に「日本円が値下がりした」わけでもあるのです。つまり、同じ缶コーヒーを買うのに、以前よりもたくさん日本円が必要になったということですね。

日本はずっとデフレが続いているので実感していない人が多いと思いますが、アメリカなどはゆるやかなインフレが続いているので、輸入品や輸入品をつかった商品などは値上がりしていくかもしれません。

そのとき、**利子のほとんどつかない銀行預金だけでは、資産が目減りしてしまうのです。**

日本人が預金だとかの現金資産を好むのは、リスクを避けたいからでしょうが、現金も放っておくと損する可能性があることは知っておいたほうがいいと思います。ちなみに、ぼくは現金の資産をほとんど持っていません。

第3章

仕事とキャリアの現実

私の知る限り、この世には、
凡人の集団的知性を過小評価したために
金を失った者はいない。

H・L・メンケン

日本人の働き方はものすごく効率が悪い

ヨーロッパの先進国と比べると、日本の会社は給料が低いし、休暇も少ないです。**原因は、日本の会社の生産性が低いからです。**

イメージでいえば、ヨーロッパだと月給50万円の会社員がハサミをたくさんつくって、それで100万円の売上がつくれる感じです。会社は給料の50万円を差し引いても50万円の収益がありますよね。

一方、日本だと、月給20万円の会社員が同じくハサミをいっぱいつくっても25万円ほどしか売れない、みたいな感じです。だからせいぜい20万円の給料しかあげられないし、会社の収益も5万円にしかならない。社員がいくらがんばっても、そもそもの売上が少ないのですから、給料を上げようがありません。

なぜ日本の生産性が低いのかというと、僕は日本人ががんばってモノをつくりすぎるからだと思っています。

たとえば、日本はビールにしてもお菓子にしても、シーズンごとに新商品が目白押しですよね。これ、問題だと思うんです。欧米では日本ほど新商品は出ません。ビールなら同じビールを飲み続けます。新商品を出すには、開発に携《たずさ》わる研究員だとか、ラベルのデザインだとか、新しい生産ラインが必要ですし、広告費もかかります。だったら**新しいものはむやみに開発しないで、同じものをつくり続けたほうが、圧倒的に効率がいいわけです。**これはフランスで感じる日本とのズレです。

もちろん、別の国など、新しい市場を開拓するために新商品を出すのなら話は別です。でも日本の場合、各メーカーが新商品を出すのは日本人向けの商売ばかり。新商品をライバルとの削り合いのためだけにやっているのですね。いまからでもこんな無駄はやめるにこしたことはないのです。

切り捨てやすい派遣社員はこれからどんどん増える

残念ながら、というべきかもしれませんが、派遣業は今後も伸びそうな業界です。派遣業が伸びなくなるとすれば、それは日本の景気がよくなったときでしょう。

派遣業は、景気が悪いほうが儲かる業界です。たとえば大学新卒の22歳の人が、正社員と派遣労働者のどちらかに就職しろといわれたら、たいていは正社員を選びますよね。景気がよければ、企業だって正社員を雇う余裕が生まれますから、そんなに難しいことではありません。

もし、月給30万円で募集して応募者ゼロなら、月給を40万円に上げたりするでしょう。企業としては、条件をよくしてでも人手を確保しておきたいわけです。景気がいいと、労働者の条件はよくなっていくんです。バブルのころに、就活生がすごい接待を受けたりし

たのと同じですね。

で、本書で何度も繰り返していますが、日本の景気は悪いし、今後よくなる材料もない。**社員が高齢化して若い人を雇いたいと考えている会社は少なくないと思いますが、かといって条件をよくできるかというと、そんな余裕はなかなかないところが多い**のではないでしょうか。

なかにはスマホのゲーム会社など、コロナ禍でオンラインの需要が増えて業績好調な会社もありますが、こうした会社も業績がいいのは一時的なものだと冷静に考えているはず。将来はぜんぜん楽観できないので、アホみたいに正社員を採用するなんてことはしないはずです。

とくに日本は法律上、正社員をなかなかクビにできません。となると、**多くの会社はクビにしやすい派遣契約・契約社員だけで済む状況にしておきたいと考えるのが自然ですね。**正社員になるハードルが上がっていく可能性は高いと思うのです。

日本企業はケチって失敗する

アメリカのＩＴベンチャーの創始者と話をすると、つくづくいまの日本の企業はアメリカに勝てないなと思わされます。

たとえばある会社で、経営者が５人のエンジニアに１つのシステム製品をつくってもらうとします。納期は３か月以内で、予算は６００万円としましょう。

そのとき、アメリカの経営者は、**「予算を上乗せしてもいいから、どうしたら納期を早められるか」**を考えます。５人じゃ間に合わないなら、さらに５人雇うとか、あるいは１か月で仕上げるノウハウを持っている会社を買い取ってそこにやらせるとかを検討するのです。要は、「いかに早く完成させるか」を最重視するわけですね。

これが日本企業だと、**「納期が遅れてもいいから半額ぐらいになりませんか？」**などと、値段を下げる交渉ばかりになるでしょう。アメリカでそんな仕事をしていたら、同じビジネスを他社に先にやられて、やっと始めたころには顧客を取られてしまっています。

なお、日本の企業ではありませんが、２０２１年初めに日本でも大きな話題になったＣｌｕｂｈｏｕｓｅは、スピード感に欠けていて機を逸《いっ》したのではないかなと思います。

これは招待制の音声ＳＮＳという独自のサービスで、うまくすれば世界で一人勝ちする可能性もありました。ただ、アンドロイドでの開発が遅れたために1年近くｉＰｈｏｎｅでしか使えない期間が続き、そのあいだにライバルのツイッターに同じようなものをつくられてしまったのです。

いまは数か月単位の遅れでビジネスチャンスを逃すことがよくあります。ドミノ・ピザとかウーバーとか、最近は外資系企業に機先を制されるケースもよくありますが、さもありなんという感じです。

いまのビジネスは
スピードがすごく
大事なんです。

農業はたぶん食いっぱぐれない

新型コロナの世界的感染拡大を予見できていた人はほとんどいないでしょうが、これからもどんな深刻な不況が訪れるかもわかりません。なので、不況に強い仕事にどんなものがあるかを知っておくことは、ためになると思います。

その意味では、**農業はなんだかんだ生き残る産業ですね。**自分で食べものをつくっている人が食いっぱぐれることはないですから。

ただし、**儲かるかどうかでいえば、そうでもありません。**日本の農業はアメリカのように大規模な畑で効率的に栽培するわけではなく、ほとんどの農家が小さな田畑です。そしてそれぞれの農家がトラクターなどの設備を持つわけですから、設備投資にお金がかかり、外国にコスト面で勝つことはできません。

もちろん、農業もＩＴ化が進められればコストを下げていまより効率的にできる可能性はありますが、そのころにはアメリカや中国も同じようなシステムを使っているはずですから、やっぱり勝てないですよね。

ということで、**農家をやっていれば食べものに困ることはないだろうけれど、それで裕福な暮らしを実現するのは難しそうです。**とはいえ、食べるのに困らないというのは、かなり大きなアドバンテージだと思いますよ。

なお、会社員をやりながら副業や趣味で農業をするのもいいですね。ぼくもラズベリーとかミントを栽培していますが、こういうモノづくりは純粋に楽しいです。

いまの社会では、とくに事務系の仕事なんかがそうですが、自分の仕事による成果が見えにくいので、充実感を得にくかったりします。農業のように、作物というかたちで成果物が見える活動をしていると楽しいですよ。

自分で食べものを
つくれる人は
なんだかんだ強いです。

男はバカだから社長になる

日本の企業の経営者には女性が少ないです。社長が女性の会社は全体の8％しかありません（2020年4月末時点、帝国データバンク）。

ヒラ社員から社内で出世して就任する、いわゆるサラリーマン社長の場合は、オジサンたちのさじ加減で決まるので、女性が少ないのはなんとなく理解できますよね。でも、自分で起業するのであれば別に女性でもなれるはずです。にもかかわらず、女性の社長が少ないのはなぜなのでしょうか。

この理由として、僕は**「男は、頭が悪いから社長になる」**という持論があります。

たとえば僕もそうですが、格闘技を習う人は男性のほうが多いですよね。でも冷静に考えれば、格闘技ってお金を払って痛い思いをするだけです。

考え方の違いなのか
あるいは文化のせいか
まあよくわかりません。

プロになったらもっと強い相手と戦うことになって危ないし、そもそもそんなに稼げません。合理的に考えたら、いまの社会で格闘技なんてやるメリットがほとんどないわけです。**女性は現実的にものごとを考える人が多いように思えるので、「それ、やる意味ある？」と考えてブレーキを踏める賢さがある気がします。**

起業はリスキーな行為ですよね。男性はバカなので、そこでエイヤッと会社をつくるのですが、女性は冷静に考えて、「別に会社つくらなくてもよくない？」と考えるのではないかなと思うわけです。自分のつくった会社をやたら大きくしたがるのも男です。ソフトバンクグループの創業者・孫正義さんが、なぜまだ働き続けるのか、よく考えれば不思議な話です。

ただし、アメリカだと女性の格闘家はわりと多いし、会社を大きくするのに法を犯したりするような辣腕《らつわん》の女性経営者もけっこういます。なので、文化の違いなのかもしれません。

公務員の給料はこれからどんどん下がる

今後の日本経済の見通しが暗いなかで、安定して見える公務員になりたい人は少なくありません。どんなに日本の経済が悪くなっても役所がつぶれるとか、公務員の給料が出なくなるなんてことはまずないでしょうから、食いっぱぐれない、という意味で公務員は安定していると僕も思います。

でも、いままでのような安定感は今後なくなっていきそうです。

公務員のボーナスは２０２０年、２０２１年と2年連続で下がっています。公務員は景気がいいときもボーナスが上がらないのでバブル時代には損でした。

でも景気が悪くなってもボーナスが下がらないといわれていたので、安定した職業だと思われていたわけです。

そんな公務員のボーナスも下がっちゃっているのですから、安定神話も続かなくなりそうです。 これからは日本全体の経済が落ちるにつれ、公務員の給料も下がるでしょう。

民間企業に比べて残業がなく、定時で帰れる、なんてことも今後ますますなくなりそうです。

経済が落ち込むと、役所にもお金がなくなりますから、かたちを変えた残業が広まるでしょうね。 これまでのように、派遣社員や民間委託業者に押しつけるだけでは回らなくなります。

東京都千代田区のようなお金のあるところはいいですが、僕が生まれ育った北区はいまでも職員が足りず、住民票を取りに行ったら30分以上待たされるなんてザラです。これからもっと職員が足りずに、仕事がハードになるでしょうね。

その意味では、**公務員になるなら人口が少なくてさびれた町のほうがいいかもしれません。** 公務員の給料は地方差があまりないので、なるべくラクできそうなところがおススメです。

公務員になるなら
さびれた田舎に
行きましょう。

年長者のアドバイスが役に立たない時代

自分の知識や経験をひけらかして若い人にアドバイスする40～50代の人ってわりと多いと思います。たしかに、昭和だったらオジサンたちの経験・コネクション・知識がけっこう若い人の役に立つことがあったんです。

でも、令和のいまでは、**すでに年長者のそういうアドバイスが全然役に立たない時代になってきちゃっているんですよね。**

たとえば、いまデスクワークで給料の高い仕事のほとんどがＩＴと絡みます。このＩＴ分野はとくに移り変わりが早い。２、３年おきに常識が入れ替わります。

たとえば、一昔前ならサーバーのハードウェアの知識は必須でしたが、いまは自前でサーバーを持たなくてもグーグルなどのクラウドサービスで済むし、そのほうがコストも

いまはむしろ若い人から積極的に学ぶべきでは?

抑えられるので、ハードウェアの知識は無意味になりました。

にもかかわらず、パソコンにくわしいと思っているオジサンは「まずサーバーをインストールするところからやらなきゃいけないよ、エンジニアは」とアドバイスしがちです。こんなアドバイスを聞いていたら、日本はますます世界から取り残されます。

いま求められるのは、過去の経験よりも、新しい知識を吸収しようとする好奇心です。

そして残念ながら、好奇心は年齢とともに弱くなり、新しいものが出ても「どうせこんなものなのだろう」と自分の体験から見限ってしまいがちになるのです。

トルコのことわざに「知性は年齢ではなく頭にある」というのがあります。いまはまさにそんな時代ですから、年長者のいうことをいちいち鵜呑《うの》みにしないことです。

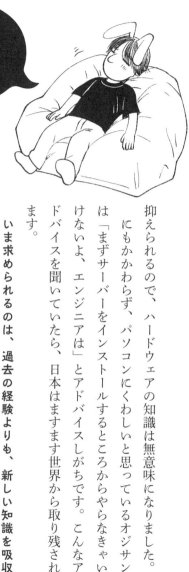

じっくり物事を考える人は社会では評価されにくい

あることを質問されて、すぐに受け答えできる人と、できない人がいます。後者のなかには、じっくり物事を考えてまとめてから発言したい、という人もいるでしょう。

じっくり考えることは、ぜんぜん悪いことではありません。でもぶっちゃけ、実社会で評価され、成功しやすいのは、発言の内容が多少テキトーでも、すぐにそれっぽい返事ができる人です。じっくり考える人は研究者とかには向いているかもしれませんが、いまの社会でお金や地位を手に入れるのは難しいでしょうね。

よくよく聞くと内容に矛盾《むじゅん》があったり、間違ったことをいっていたりしても、テキパキと返事ができる人のほうが頭がよく見えます。会議や打ち合わせの席で場をリードし、自分に有利な場面をつくれるのはそういう人です。

じっくり考えるタイプの人は、「もっと完璧な内容を話したい」と考えるでしょうが、そう思ってまごまごしているうちに、自分の話す番が過ぎ去ってしまい、何一つ話したいことを話せないまま終わってしまった、なんてことが常です。

それに、**じっくり考えて得た結論がたとえ正しくても、だからといって評価されるとは限りません。**46ページでも述べましたが、日本の多くの職場では、正しさよりも社長だとか上司の好みが優先されることが少なくないのです。正しさって、じつはあんまり求められていないんですよね。

とくに日本人は「その場の空気」を最優先する人たちが多いですから、空気をコントロールできる人がイニシアチブを握ります。せっかく時間をかけて完璧な結論に達しても、だれからも相手にされないなんてことも起こりえます。

まあ、あまりにもテキトーなことばかりいっていると、足元をすくわれることがあるから要注意ですが。

実際の社会では
「正しさ」ってあまり
重視されません。

「金をもらって感謝される仕事」とそうでない仕事がある

介護の仕事って重労働で給料が高くないですから、たとえ楽しくても転職したほうがいいのかな……と悩む人もいるみたいです。**でも楽しいのであれば、続けていいいんじゃないでしょうか。**介護って、人から感謝される機会がある貴重な仕事だからです。

世の中の仕事は、こちらがお金をもらっている側なのに、相手から「ありがとうございました」といわれる仕事があります。たとえば学校の先生はお金をもらって教えているのに、生徒とかその親から「ありがとうございます」と感謝されますよね。医者とか看護師とか、弁護士とか葬儀屋なんかもそうですね。

でも世の中、そういう仕事ばかりじゃないです。たとえばプログラマーは顧客と面と向かうことが少ないですから、直接「ありがとう」っていわれることはめったにありません。

コンビニの店員も、基本的にお客さんに「ありがとうございました」と口にする側です。お金をもらっているのですから、これが当たり前といえば当たり前です。そう考えると、**世の中の仕事の多数派は感謝されることのない仕事でしょう。**

感謝される機会のある仕事って、ストレスがたまりづらいとも思います。たとえばブラック企業の押し売り営業になると、働けば働くほど、人に恨《うら》まれ、自責の念も抱いたりするでしょうから、ストレスがたまりそうです。

前に「銀行の投資信託を買った個人客の半数近くが損をした」という報道がありましたが、個人客にこれを買わせた銀行の営業マンは、自分が勧めた商品でお客さんを損させたわけですから、気持ちよいものではない気がします。

給料の多い少ないも大事だと思いますが、それ以上に「人から感謝される仕事かどうか」という基準で選んだほうが、仕事のストレスが減って、ラクに生きられるんじゃないでしょうか。

仕事をして
感謝されるって
めっちゃ貴重です。

警察官はじつはおいしい職業

116ページで、「人から感謝される仕事は貴重」という話をしました。その意味では、警察官っていい仕事だと思います。もちろん、夜勤があったり、危険な場面に出くわしたりすることもありますが、人々を犯罪とか事故から守る、救う仕事なので、めちゃくちゃ感謝されますよね。

それに、**警察官は人びとから尊敬される仕事でもあります。**警察官に憧《あこが》れる子どもは多いですし、人気が高いです。「お父さんの仕事はなに?」ってきかれて「警察官」と答えると、「すごーい!」ってなりますし、保育園のママ友のヒエラルキーみたいなのができたときも「警察官の家」だと一目置かれたりするわけです。

それに、**警察官は公務員なので、ローンを組むのも民間企業以上に確実に通ります。**

安定していて
尊敬されやすい
公務員なのです。

これがユーチューバーとかだと、月収が４桁《けた》あっても、ローンを組めないどころか、下手したらクレジットカードの審査に落ちます。

しかも、**警察官はなにか悪さでもしない限り、失業する可能性はほぼゼロ。**いまは大企業でも40代くらいでいきなり早期退職を迫られたりしますが、警察ではリストラなんてありません。警察官が食いっぱぐれるときは、たぶん日本が財政破綻とかして、みんながそれ以上にヤバいときでしょうね。

パートナー探しにも困りません。警察官だから正義感が強いとか、マジメだろうとも思われますしね。

もちろん、キャリア組とノンキャリア組が明確に別れていて、出世できるかどうかは完全に学歴で決まるとか、古い考えのオジサンが跋扈《ばっこ》しているだろうから組織としての息苦しさはあるかもしれません。でも、そういうことを差し引いても、けっこうおいしい職業だと思いますよ。

新卒で入った会社には3年間いたほうがいい

せっかく新卒で入社したものの、待遇の悪さが不満だったり、もっと給料のいい会社がいいなと思ったりして、1年も経たないうちに辞める人もけっこういます。当人からすれば、辞めたくなる正当な理由があるに違いありませんが、よっぽどのクソ会社だとか、ほんとうにメンタルが追いつめられているとかじゃない場合は、**辞めるにしても、もう少し長くいたほうが得**だと頭に入れておいたほうがいいです。

たとえば、仮に銀行に就職していても、3年ぐらい在籍してないと「元銀行マン」の肩書きは通用しません。3年くらい働けば一通りの仕事を経験できるし、知り合いもできたりして、辞めたあとも役に立つでしょう。

会社を辞めるのが悪いわけではありません。でも**辞めるにしても、次の会社に転職する**

とき「なぜ辞めたのか」を納得できるようにしておいたほうが賢いと思うのです。

3年もいれば転職の面接の際に人事担当者からは「前の仕事をある程度続けられた」と見なされますが、1年やそこらで辞めた人は「すぐに辞めてしまうのでは」と思われます。

とくに、**企業の採用担当者は、能力の有無《うむ》以上に、採用した人が働き続けてくれるかどうかを重視します。**採用した人間にすぐ辞められると、上司から怒られますからね。

あと、職場でコピーばかりさせられたことが不満で辞めるにしても、転職の面接でその通りにはいわないことです。そんなことをいったら採用担当者は、「コピーとりしか任せられなかったということは、きっと優秀じゃないんだな。でも、能力ないくせに文句の多そうなやつだ」と思われかねません。

家族が病気で致し方なかったとか、どうしてもやりたいことが見つかった、などと理論武装できるようにしましょう。

「スキルのたまらない仕事」がこの世にはある

イラストレーターはイラストをたくさん描けば描くほど上手になります。また、SNSなどでたくさん作品を発表すれば、そのうちどれかがバズって仕事につながるチャンスが増えますね。これは、やればやるほどスキルのたまる仕事です（もちろん、たくさん描けばチャンスが増えるというだけです。進歩のないイラストを延々描き続けてもスキルはたまりませんね）。

一方、コンビニの店員はたとえ15年間マジメに働いても、せいぜいおでんを入れたりすることが上達するぐらい。時給はさほど変わらず、しかも転職してもまったく役に立たないでしょうね。これが、スキルのたまらない仕事です。

こんなふうに、**世の中には、収入の増加につながる「スキルのたまる仕事」と、そうで**

若いうちに
スキルのたまる
仕事を探しましょ。

ない仕事があります。

前者は研究職、技術職とか、看護師のような資格のいる仕事、それに職人やプログラマーなど、経験を重ねるごとに収入が上がりやすい仕事です。

後者は技能を必要としない肉体労働者とか、飲食店でオーダーをとるだけの店員とかです。また、介護の仕事もこちらに該当します。

いまの日本で一般に出回っている求人広告のほとんどが、この「スキルのたまらない仕事」です。一昔前なら未経験でもIT業界に飛びこんで働きながらスキルを磨くチャンスなどがありましたが、いまは未経験者ができる「スキルのたまる仕事」はほとんどありません。

唯一、未経験でチャンスがあるのはのは新卒（あるいは新卒に近い若い人）くらい。20代のうちにスキルが身につく仕事ができないと、けっこうあとあとキツくなるかもしれません。

縁故採用はよくあること

ちょっと前の話ですが、岩波書店という歴史のある出版社が「縁故《えんこ》採用しかしない」と報道されて、批判を受けたことがありました。結局やめちゃったみたいですけど、縁故採用は企業の戦略としては正しい方法だと思います。

会社にとって正社員を雇うのってすごくリスキーな行為です。毎月お給料を払わないといけないし、雇ったらなかなかクビにはできないわけですから。**1年くらいで辞めちゃうかもしれませんから、見ず知らずの人間を雇うなんて、企業も本当はいやなんですよ。**

でも縁故採用なら、紹介してくれた人への恩義があるから本人も辞めづらいし、仕事もマジメにやるでしょう。つまり縁故採用って、会社からすれば新しい社員を雇うときのリスクを軽減させる方法なんですよね。

さて縁故採用というと、**親のコネがある人だけが受けられるみたいに思いがちですが、別にそんなことはありません。**どうしてもその会社に入りたいなら、たとえば岩波書店の本社の入口に立って、出てきた社員の人に片っ端から「こういう者です、縁故になってください！」と言い続ければいいのです。

こんなことをできるバイタリティーとやる気を持っている人であれば、入社して営業や編集の仕事を任せても、きっとうまくやっていけるでしょう。

縁故になってくれる人も出てくるだろうし、採用してもらえる可能性はかなりあると思いますよ。

だいたい、岩波書店みたいにきちんと「うちは縁故採用やってます」といってくれる会社のほうが、すごく親切だと思います。大体の会社はそんなこと宣言せずに、こっそりやっているものですからね。

あえて公表しないだけで
縁故採用は
よくあることです。

成果主義を導入しても失敗する会社は多い

最近は社員の生産性を高めたりするために、年功序列から成果主義に評価システムを切り替える会社もあります。

たしかに年功序列は古いシステムなのでよくないと思いますが、**そもそも現場に有能な人間が少ない場合、その試《こころ》みは失敗する可能性が高いですね。**

僕の感覚では、現場の人間の5割以上が有能でなければ、成果主義を導入しても失敗してしまうと思います。なぜかというと、5割以上が有能な人間なら、成果主義にして4割の無能な人間が全員辞めても、会社はなんとかなるからです。

でも、もしも有能な人間が全体の2割だけで、残り8割が無能だったらどうなるでしょうか。

成果主義を導入したとたん、８割の無能な人間がサボタージュに走るなど、２割の有能な人間に対する嫌がらせが起きたりして、現場がうまく回らなくなる可能性が高いのです。

結果として、なし崩し的に成果主義が撤回されるかもしれません。そうなると、**２割の優秀な人間はその組織を見限って転職し、無能な人間だけが組織に残るという最悪の結果**になってしまう可能性は大きいですね。

１８８ページでも述べますが、僕は別に組織のなかに無能な人間がいることが悪いことだとは思いません。無能な人間には、無能な人間だからこそ果たせる役割があると思っています。

でも、年功序列システムに守られて、無能なのにそこそこいい給料をもらっていた人間は、自分が無能だということを認めたくないので、厄介《やっかい》な存在になります。

そういう実情があるので、実際のところ、日本の企業が成果主義を採用するのは難しいだろうなあとも思うのです。

有能な人間が
ある程度いないと
実現は難しいです。

求人広告にはウソも書かれている

求人広告のなかには「学歴不問、月収35万円以上、きれいな寮を完備」などと、さほど高いスキルがいらないのにやたらとよい条件を提示しているものがあります。まあ、少し考えればわかりますけど、ウソですよね。

人材難の会社が社員を確保するもっとも有効な手立ては、給料を上げることです。求人広告でも、高い給料を掲げると、たいてい多くの人が応募してきます。

本当の条件をいうとだれも応募してこないので、ウソの高収入をうたい、騙されて応募してきた人の何人かが、悪い条件でも我慢して働いてくれるのを当てにしていることがあります。

あるいは、**ウソを書いていないにしても、サービス残業が常態化しているとか、パワハ**

都合の悪いことを書かないのは当然のことですね。

ラ体質だとか、そういう会社にとって都合の悪いことを書かないのは当然です。そういうことを見極めないと、あとでたいへんなことになります。

求人広告のウソを、会社のホームページを見たり、面接で確認しようとしたりしても意味がありません。

会社は外向けの綺麗事《きれいごと》しかいわないはずです。相手がウソをつこうとしている限り、面接で返ってくる答えもウソしかあり得ません。

このような場合、**会社に質問するよりも、会社外のところから得られる情報のほうが、その会社の本当の姿に近いと考えるべきです。**

就職・転職サイトで口コミをみるとかして調べるしかないでしょう。あるいは最近だとツイッターなどのＳＮＳでその会社の実態などをうかがい知ることもできます。

会社で正義が貫かれるとは限らない

会社員として働いていると、自分の会社がいかに古い体質で、ダメな点が多いかに気づくことがあります。社長や上司がみな年配でインターネットを使いこなせないとか、社長が現場や社会のニーズをまるで気に留めていないとか、あるいは会社の方針があまりにも短期的で、ゆくゆくは失敗しそうだとか。

そのようなことに気づくのはすばらしいと思いますが、では一社員がそれを上司などに進言して体質を変えられるかというと、そういうことはまずないでしょう。

とりわけ、**中小企業というのは、基本的にその会社をつくった社長が自分の利益のために立ち上げた組織であり、雇われている社員は「社長のお手伝い」をしている人間です。**であれば、どんな問題があろうと、社長がそれでいいと思っていれば、それが正義になるのです。

たとえばキャバクラ嬢を社長秘書みたいな立場で雇って給料を払っている中小企業の社長はけっこういます。会社として明らかにおかしいことですが、非上場企業は社長のものなのだから、別に犯罪でもなく、とがめられることではないのです。**むしろ下手に指摘したら、社長にウザがられて嫌がらせなどを受け、自主退職に追い込まれるのがオチでしょう。**

これが東証一部に上場している大企業とかだと、もう会社は社長のものではなく株主のものになるので、自由にはできなくなります。なので、メディアとかに情報をリークすることで事態が変わることもありえるかもしれません。

中小企業はそういう可能性もあまりない。会社のやり方に疑問を持つのは悪いことではありませんが、そもそもが正論や正義がまかり通る世界ではないことを知っておくべきでしょう。

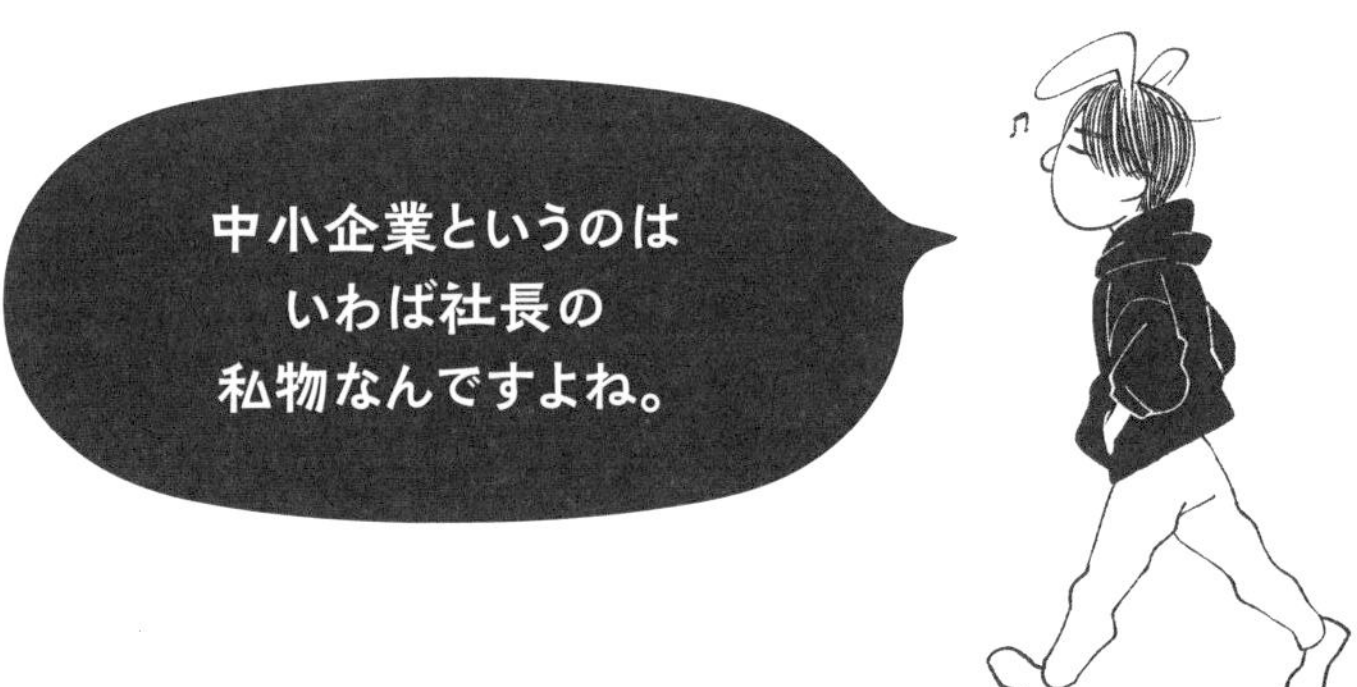
中小企業というのは
いわば社長の
私物なんですよね。

フランチャイズは儲からない

「フランチャイズ事業のオーナーになると儲かります」という宣伝文句は疑ってかかったほうがいいでしょう。コンビニのオーナーなど、人手不足で1日18時間とか働き、それでも儲からないような窮状《きゅうじょう》が次々に報道されていますよね。

コンビニのオーナーと本部の会社との契約は、労働契約ではなく、事業主どうしの契約、つまり会社の取引先どうしのような契約です。そのため、オーナーが「人手が足りないから深夜営業をやめたい」と思っても、「ならば違約金を払え」となるのです。

労働者は労働基準法とかがあるからあまりにひどい搾取《さくしゅ》はできませんが、事業主どうしの契約なら搾取し放題になる、という本部経営者側のうまみがあるわけです。これは新たな奴隷制度にほかなりません。

コンビニオーナーなんて
なるもんじゃ
ないですよ。

そもそも確実に儲かる場所なら、本部の会社が自分たちで直営店をつくります。儲かるかどうかわからないリスクのある場所のビジネスを他人にやらせてリスクを回避するのが、フランチャイズ事業です。

また、オーナーになって店がうまくいっても、油断は禁物です。某大手コンビニの本部は、意外と儲かる場所がわかると、その近くにコンビニをどんどんつくることが判明しています。これはドミナント戦略といって、あるエリアに集中的に店をつくることでライバルより優位に立つやり方です。

たしかにあるエリアが同じコンビニばかりになったら本部の会社の収入は増えます。でもオーナーからすれば、これをされたら経営が苦しくなるのは当たり前です。

本当に儲けたいと思うならフランチャイズになるべきではありません。大手の会社がいると心強いと思うかもしれませんが、それは誤解で、つぶれるときは助けてもくれませんよ。

年功序列が日本の企業を弱くする

最近は日本でも、若かろうがガンガン昇給・出世させる会社がありますが、そうはいっても年功序列を重んじている会社がまだまだ多いでしょう。昭和の時代にそうやって経済成長できていたし、へんに実力主義にすると社内が殺伐《さつばつ》としそうだからいやだ、という人もいるかもしれませんね。でも、年功序列は現代のビジネス環境にまったくそぐわない、ダメなシステムだと僕は思います。

そもそも、**日本企業が昭和の時代に成功できたのは、年功序列というシステムのおかげでもなければ、日本人が優秀だったからでもありません。**国の人口が増えたうえに、日本ほどがんばる国がほかになかったからです。

つまり、「数」と「マジメさ」が武器になっていたわけですね。たとえば、ほかの国がそこまでマジメにテレビをつくらないから、日本がマジメにつくったテレビは安くて性能がいいと世界中で売れたのです。

でも最近は、世界中の人がマジメになってきました。とくに中国です。日本人の最大の武器だったマジメさが、もう通用しなくなってきているのです。

年功序列は「マジメさ」を評価するシステムです。マジメに会社のために働いてきた期間の長さに応じてたくさん給料を支払うわけです。逆に言えば、年功序列は個人の努力・工夫・成果を評価しません。どれだけ優秀で成果をバンバン出せる若手がいても、その若手が、上司よりもたくさん給料がもらえることはありません。

そうすると当然、若くて優秀な人ほど、年功序列ではない組織に行きたがりますよね。とくに凄腕の営業マンとかエンジニアとかはそうです。年功序列はもう、組織を弱体化させる仕組みでしかありません。

副業はバレる

2018年に規則が変わってから、副業を認める会社も増えてきました。コロナ禍で在宅ワークが増え、副業をする人が多くなっているようです。副業は収入が増えるだけでなく、ユーチューブなんかで自分の得意分野を披露《ひろう》する映像をアップしたりすればキャリアアップにもつながりますから、どしどしやるべきだと思います。

ただし、いまでも社内規定で副業を禁じている会社はあります。また副業を認めている会社でも「本業で得た情報・スキルを使う副業を禁じる」など、一定の制限を設けるケースはあります。

こういう会社で内緒の副業が発覚した場合、法的拘束力はありませんが、会社から訴えられた場合に負ける可能性があります。またクビにならなくても、社内で嫌がらせを受けて働きにくくなる可能性は高いですね。

裁判になれば、会社は「かくかくしかじかの副業で会社は不利な状況になった」と主張できるので、勝ち目はありません。

それでも「内緒《ないしょ》でやっちゃえ」と、ついつい会社に報告をせずに副業に精を出す人もいそうです。「どうせバレないだろ」と思うかもしれませんが、**年間で経費を除いて20万円以上稼ぐ人ならばバレます。**会社が源泉徴収をして税務署に申告した際に「この人、確定申告が必要な人ですよ」と税務署にいわれてしまうからです。

だったら税務署にバレなきゃいいだろ、と考えがちですが、**ユーチューブなんかの収入は確実にバレます。**ユーチューブを運営するグーグルは税金にすごく気を遣う会社で、投稿者に支払ったお金をすべて経費に計上するため、こまかく支払先の資料をつくりますから、税務署に筒抜けになるわけです。

要は内緒でやろうなどとは思わないことです。

副業をやるなら
ちゃんと会社から
認めてもらいましょう。

30代以降のベンチャー企業勤務は厳しい

「成長が見込めそうだけど激務のベンチャー企業」と「ゆるいけど成長できなさそうな古い企業」。両者の給料が同じとして、どちらに就職すべきかは一概《いちがい》にはいえません。

ただし、20代前半の人なら、激務のベンチャー企業に入ってみるのもいいと思います。20代なら転職のチャンスは十分ありますから、入ってみて自分に合わなければ別の企業に再就職すればいいわけです。

でも逆に、**20代をゆるい会社で過ごした人が30代、40代になってからベンチャーでがんばるのは、まず無理でしょうね。**あまりにも働き方が違いますから、ゆるい会社でキャリアをスタートさせた人は、もう下手に冒険なんかしないで、そのままゆるい会社で働き続けるのを考えたほうがいいと思います。

ベンチャーで揉まれる経験ができるのは若いうちだけです。

ベンチャー企業は規模が小さいし、下手したら潰れてしまうので仕事として大変なことが多いです。でも、社長との距離が近いので、うまくすれば自分の考えが会社の方針になったりもする。上場企業ではありえない話です。

それに、**ベンチャー企業で働くと、起業のノウハウや苦労がわかる利点もあります。** 創立5年目の会社なら、社長は5年前になにもない状態からその会社をつくったわけです。どうやってお金を集めたのか、最初の売上はどうやってつくったのかなどを初期のスタッフや社長自らを通じて知れるのです。

たとえばぼくが携わった会社もそうでしたが、名もない会社はオフィスを借りるだけでもビルの持ち主になかなか認めてもらえず、苦労するんです。

会社というものは、小さいうちは一般の人が知らない苦労がいろいろあります。それはベンチャー企業に入ってみないとわからないことなので、いい経験になるのではないかと思います。

タクシードライバーの仕事はなくなる

日本にいると実感できることはあまりありませんが、世界では車の自動運転化が想像以上に進んでいます。運転手をまったく必要としない完全自動運転の開発も進んでいます。

いまの技術の発達のスピードからして、**たぶん２０２０年代のあいだには、都市部の道路で自動運転が実現されるのではないでしょうか。**

たとえばアメリカのテスラ社は、２０１９年に「ロボタクシー」に関する構想を発表しました。これは自分が運転していないあいだ、テスラ社の提供するアプリを使って自動的に車を街中で徘徊《はいかい》させ、タクシー業務をするシステムです。この車を持っている人は、車が勝手に副収入を稼いでくれるという画期的な計画です。

この構想には完全自動運転の実用化が不可欠ですが、テスラ社は技術的にはほぼ完成させていて、あとは事故をどうやってなくすかという問題なんですね。

「ロボタクシー」をめぐってはアマゾンなども開発を進めており、おそらく10年もすればアメリカで実現されて、20年後にはほかの国でも実用化されていくのではないでしょうか。

そうなると、**日本でも次第にタクシーは自動運転化されていきます。**

タクシー運転手という仕事がすぐになくなることはないでしょうが、これから淘汰《とうた》されていくでしょう。いま40代、50代のタクシー運転手なら自動運転化の波が来る前まで働き続けられそうですが、30代のタクシー運転手の人はおそらく20年後にはかなり厳しい状況になっているはずです。

あとタクシー運転手って、わりとだれでもできるので、仕事をなくした人の受け皿になっていた部分もあると思うのですが、それもなくなりそうですね。

タクシー業界は
これからどんどん
厳しくなりそうです。

「起業して一発当てよう」はだいたい失敗する

基本的に、会社員として働く限りは年収ウン千万とかの「お金持ち」になることはできません。お金持ちになるには、自分で会社を興《おこ》すとか、投資で当てるとか、そういうことが絶対必要になります。

僕としては別に、そこまでのお金持ちにならなくても幸せに生きていくことはできると思っていますが、そうはいっても起業してビッグになりたいと目論《もくろ》む人も少なくないでしょう。

でも残念ながら、**「起業して一発当てよう」という考えの人はだいたい失敗します。起業はギャンブルではないからです。**もちろん、成功には運の要素が絡むこともよくありますが、最終的には金銭感覚がすごくシビアな人でないと成功はできないのではないかと僕

若いうちはまず会社に入って働いたほうがよいです。

は考えています。

起業したときにいちばん難しいのは、「あなたにお金を払ってなにかを頼みたい人」といかに出会うか、すなわち売上の実績をいかにつくるかです。

　これには、ほかの人がやらないことを見つけて、それをつくれる能力が必要になります。調べる能力のない人はこうしたことができないに違いないので、なにか特技を生かしての起業や、会社で働いていた時からの取引先を相手にするのでもない限り、起業しても失敗する可能性が大きいでしょう。

　ぼくはとりわけ、**就業経験のない人にはおいそれと起業をすすめられません。**「就職するか起業するか？」という選択肢で悩む人がいるかもしれませんが、たいていの場合、まず就職して、「お金を払いたいという人はいったいどういう人なのか？」「そういう人をどうやって見つけるのか？」といったノウハウを知ってから起業したほうがいいと思いますよ。

日本にいたまま
ラクしてお金を稼ぐのは難しい

「どういうスキルがあると稼げますか？」と質問されることがよくありますが、そういう人にまず知っておいてもらいたいのは、「日本で働いていてもたいして稼げない」ということです。たとえば、アフガニスタンに住んでいる人から「どういうスキルがあると稼げますか？」とたずねられたら、**「そんなことよりも、まずアフガニスタンから出たほうがよくないですか？」**という答えになると思うのですよ。

もちろん日本はアフガニスタンほど悲惨な状態ではありませんが、お金を稼ぎたいなら、スキルうんぬんよりも、まず経済成長しない国にいるほうがマズいです。

経済成長している国にいると、どんなに無能でもそれなりに仕事があって収入が増えます。昭和の時代の日本がまさにそうで、バブルの時代には、自分で客をうまく捕まえる方法を考えないタクシー運転手の人でも、年収１０００万円稼ぐこともザラでした。

どうしてそんなに稼げたのかというと、当時はみんながタクシーを使って、供給がぜんぜん足りていなかったので、お客さんがタクシーを止めるためだけに１万円のチップをはずむこともあったからです。つまり、バブル時代の日本はとても景気がよかったからみんな儲かったわけです。

こんなふうに、**景気のいいところにいれば、たいしてスキルがなくても、若くて元気でやる気がある、というだけで、それなりに稼ぐことができます。**景気の悪いところにいるのなら、いくらスキルを磨いたところで宝の持ち腐れになってしまいかねません。

そんなわけで、学生さんなどはいまのうちから、「もし日本がヤバくなったら、日本以外の国に行ったほうが儲かるよね」といった視点を持っておくのがいいと思いますね。

能力を上げるより
働く場所を
変えてみましょう。

第4章

結婚と教育の現実

幸せな家庭はみな似ているが、
不幸な家庭はそれぞれ違う形で不幸である。

レフ・トルストイ

結婚率が減っているのは単に不景気だから

いまの日本では結婚しない人が増えています。２０１５年の国勢調査によると、生涯未婚率は男性が23・４％、女性が14・１％で、１９９０年の調査時（男性５・６％、女性４・３％）よりもずいぶんと増えました。とくに男性の伸びが大きいです。

このようなデータを見ると、「なぜ結婚しない人が増えているのか？」と考える人がいます。でも僕は、**「結婚しない人」が増えているのではなく、「結婚する余裕がない（と考えている）人」が増えているだけなんじゃないかと思います。**単に不景気だから、とくに男性で、結婚したいのにできない人が増えているんじゃないでしょうか。

たとえば結婚する目的として、「子どもをもうけたいから」というのがあると思います。でも、子ども１人が生まれて大学を出るまでの子育てにかかる費用は、ずっと公立校に通わせたとしても、もろもろの養育費を足して２０００万円以上ともいわれます。

となると、それくらいの将来収入が確保できるだろうと思えない男性が結婚に踏み切れないのは想像できます。むしろ、**そういうことをちゃんと考えるまじめな男性ほど、結婚には及び腰になってしまうのではないでしょうか。**

逆に、そういうことを考えない人は「できちゃった婚」などをすることが多いと思います。もっとも、生活保護家庭の多かった団地の周辺に住んでいた僕の体感からいうと、**２０００万円のお金を用意できなくても、たいていの子どもはけっこう幸せになれるんじゃないかなぁとは思いますけど。**

でも、それは結果論であって、まじめな人なら、はじめから貧しい家庭で子を育てたいとは考えないでしょう。

不景気が続く限り、結婚しない人はますます増えていくと思います。

親が貧乏でも
子どもはけっこう
ちゃんと育ちますよ。

女性は30歳半ば以上だと結婚しにくくなる

いま30歳ぐらいの女性で、結婚をしたいと思っているのであれば、すぐに婚活することをすすめます。

というのも、**男性は女性よりも、相手の若さを重視する傾向が強いからです。**女性は自分の年齢よりも少し上の男性に惹《ひ》かれることも多いですが、男性はたとえ40歳になっても50歳になっても、20代の若い女性と付き合いたいと考えがちなのです。

とりわけ、女性からも人気の高い、年収がわりと多い公務員や一流企業の会社員の男性であれば、子どもがほしくて結婚を望む人も多いと思います。そういう男性は、残念なことに同世代の女性を選ばず、20代半ばから30代半ばの若い女性を選ぶのです。

女性が経済力を求めるならば、男性は若さを求める。

男は何歳になっても
若い女性に
惹かれるのです。

これは国立社会保障・人口問題研究所の研究でも明らかになっています。

なぜそうなるのかというと、**おそらく単純に、生物として自分の子孫を残したいという本能がそうさせるのでしょう。**

子どもをもうける場合、女性は受精をしたあと妊娠・出産をするという負担を強《し》いられるので、その負担に耐えられるような若い人のほうがいいと考えてしまうと思うのです（もちろん、現在は医療技術の発達で30歳半ば以上の女性でも妊娠、出産できますが、それを理解できていないという意味です）。

結婚相談所に何年も登録しているけど、いまだに結婚できない35歳以上の女性はたくさんいます。

とくに、自分がそこそこの収入を得ている女性は、自分以上の収入のある男性を望みがちですが、条件にこだわると、結婚は厳しくなります。これはもちろん、収入の少ない男性も同様ですからね。

30代以降の男が結婚できるかは「経済力」次第

結婚相談所で働いている人のブログを読んでいたら、じつに厳しい現実が書かれていて驚きました。年収300万円以下の男性が結婚相手に出会える確率がゼロだというのです。0・1%だったらまだしも、ゼロというんですからね。

もちろんこのデータにどれほど信ぴょう性があるかはわかりません。でもほかの調査でも、**男性の場合、年収300万円以下だと一気に結婚できる率が下がるデータが出ています。**150ページで「女性は若さを求められる」と書きましたが、男性の場合は「経済力を求められる」のがシビアな現実のようです。

もっとも、20代であれば年収が低くても「将来はもっと出世しそうだ」とか「イケメンだ」などの理由で女性とのお付き合いができることはあるでしょう。

でも30歳を過ぎるころから、男性はお金を持っているかどうかでふるいにかけられるわけですね。年収３００万円以下の男性は、そもそもが女性たちの恋愛対象外になることが多いようですから、どうしようもありません。

ただし、**これは逆にお金さえあれば、若いころはまったくモテなかったブサイクやデブでも、男なら結婚はできうるということです。**30歳をすぎてモテたいのであれば、お金があると思われるのがベストです。

……といってもいまの時代、年収を上げるなんてそう簡単じゃないですよね。なので、もし少しでも結婚を考えているのであれば、男性は20代のうちの、まだ年収が低くても許される年齢のときにお相手を見つけておいたほうがよさそうです（たぶんこれは女性でも同じでしょうが）。

もしすでに30歳以上の場合は、僕にはどうすればいいのかはよくわかりません。がんばってください。

結婚相手を探すなら
男も女も20代が
ベストなのかも。

外見は努力でけっこうどうにかなる

恋愛とか結婚について、自分の容姿にコンプレックスを持っていて、そのせいであまり積極的になれない人がいますよね。自分はブスだとか、デブだとか、チビだとか、そういうふうに自覚している人のことです。

でも、僕はそういう外見上の問題については、9割くらいの人は工夫と努力次第でどうにでもなると思っています。というのも、人間の印象って、自分でかなり変えられる部分があるからです。

とくに大きいのは髪型ですね。髪がボサボサかスッキリしているかどうかって、第一印象がかなり変わります。あと、顔の輪郭《りんかく》とか頬骨《ほおぼね》が出ているといったものも、髪型を工夫すれば目立たなくさせることってできますよ。

髪型や服装はプロの人に一度任せてみては?

もちろん、こういうものは自分ではよくわからなかったりするので、自分の感覚に頼らないほうがいいです。ちょっと高くてもオシャレで腕のよさそうな美容室に行って、そこの美容師さんのセンスに任せましょう。そのほうが、自分であれこれ手を加えるよりもよくなると思います。

服装もそうですね。ヘンにファッションで個性を発揮しようだなんて考えず、白とか黒で、無地の服を着て、ちゃんと洗濯をした清潔な服を着ていればそれでOKなはずです。

これも自信がないなら自分で選ばず、ちょっといいお店の店員さんにトータルコーディネートしてもらったほうが、よくなるでしょう。一度、自分に似合う服とかサイズがわかれば、あとはそれと同じような安い服を買えばいいわけです。

「どうせブスでモテないから、外見なんてどうでもいいや」と投げやりになるのじゃなしに、美しくありたいと思うことを心がけてみてはいかがでしょうか。

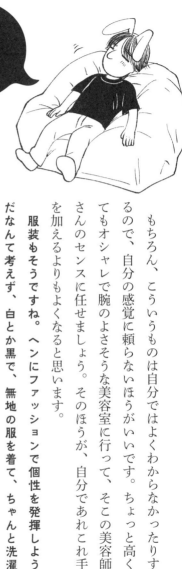

環境によって結婚のしやすさは変わる

結婚ができない人には2つのタイプがあります。1つは、モテない人。だれからも興味を持たれなさそうな、死んだ魚の目をした、デブで、性格の悪いおっさんみたいな人。こんな人がお金も持っていなければ、結婚できないのは仕方のないことです。

もう1つは、**出会いがなく、そもそも恋愛経験が少ない人です。**男性だと、たとえば理系で女子学生がほとんどいない学科に進み、やはり女性の少ない研究職やエンジニアの職場で働いているなどのケースです。自分で積極的に合コンに行くとか、マッチングアプリを使うなどしない限り、女性と知り合う機会がなく、当然結婚できません。

こういう人は、そもそも冒頭の「モテない人」とは違うので、ちょっと努力すれば恋愛や結婚はできそうですが、案外そうでもないです。

というのも、**異性と知り合う機会の少なかった人は、ヘンに理想が高かったり、恋愛対象としての男性／女性に対して妄想に近い願望を抱いていたりすることが少なくない**からです。

そうやって現実にはほぼ存在しない「大和《やまと》なでしこ」とか「白馬の王子様」を追い求めて結婚できないままになるということもよくあります。

当たり前の話ですが、まったく文句のつけようのない人間なんて存在しません。世の中の結婚している人たちの１００％は、どこかしら相手に不満を持っているはずです。

これはたぶん結婚以外のすべてにいえますが、**１００点満点を追求するのではなくて、自分のストレスになりすぎない65点で満足するのが幸福のカギではないかなあと思います**（もちろん、結婚しないという選択肢が悪いわけではありません）。

だいたい結婚しても、離婚してやり直せますしね。結婚はそんなに重たく考える必要もないと思います。

結婚することって
たぶん多少の妥協が
必要じゃないですかね。

容姿が整っている人は人生うまくいきやすい

わざわざいわれなくても多くの人がうすうす思っていることだと思いますが、**この世はイケメンや美女に生まれた人のほうが生きやすいようになっています。**

就活にしたって、同じ学校出身の同じような能力を持っていそうな応募者が2人いたとして、イケメンとブサイクだとしたらイケメンが採用されるでしょう。美女とブスなら美女が採用されます。もちろん、企業側は「最終的には容姿で判断しました」などは、間違ってもいうはずはありませんが。

でも企業としてこのような判断を下すのは、ある意味で合理的です。たとえばセールスパーソンとして採用したとき、イケメンとか美女のほうがまず間違いなくお客さんの印象がよくなりますよね。

もちろん能力も大事なのですが、実際のところ、この社会では容姿などによる印象がかなり大きな比重を占めているのです（だからこそ１５４ページで紹介したみたいに、工夫できるところを工夫して、外見を変える努力が必要になります）。

こういうことは反感を買いやすいので、表向きにはだれもいわないことかもしれません。

でも、厳然たる現実として存在することは知っておいたほうがいいと思いますね、ぼくは。

ただイケメン、美女というのは、あくまで相手の好みなので、こういう顔だったら間違いなくうまくいくという保証はできませんし、その逆もいえません。

また、**イケメンや美女でも、無能だったら、やっぱり成功はできません。**芸能人でも、キャバ嬢とかホストとかでも、やっぱり最終的に成功するのはコミュニケーション能力とか賢さを持っている人みたいですからね。

見た目がいいのは
すごく大きな
アドバンテージです。

日本の待機児童はなくならない

保育園に申しこんだにもかかわらず、入所できず順番待ちを強《し》いられている待機児童の問題は、何年も前からニュースになっていますが、いっこうに解決されません。

となると、「だったら新しく保育園をつくってみようかな。順番待ちの子どもがいっぱいいるのだから需要もありそうだし、親御さんたちからも喜ばれるし」と考える人も出てきそうですね。でも、新規に保育園ビジネスを行うのは、かなり難易度が高いといわざるをえません。なぜなら、**新しい保育園は認可をもらうのが難しく、「保育園の経営は補助金頼み」ともいわれているいる補助金がもらえないからです。**

なぜ待機児童の問題があるのに認可がおりないのか。その理由は既存の保育園の経営が芳《かんば》しくないところにあります。

保育園が増えないのは
政治的な背景も
あるんですよね。

くわしくは１８２ページに書きましたが、既存の保育園の多くは売上が低くてヒーヒーいっているのが現状で、びっしり子どもを入れ、保育士さんたちにたくさんサービス残業をさせ、それでようやくトントンみたいな感じです。

保育園が預かれる子どもの数は建物の面積や保育士の数によって上限が決められているので、預かる子どもの数を増やすには、建物の改築などをしなければなりません。でも、少子化が進み、これから子どもの数が減ることがわかっていますから、保育園も、将来の経営にマイナスになりかねない改築をしようとは考えないのです。

そこで新たに保育園ができれば、既存の保育園は子どもをとられて売上が下がるでしょう。**そうならないよう、地元の政治家に圧力をかけ、認可が出ないようにしたりもするのです。**

ですので、新たに保育園ができることはなかなかなく、しばらく待機児童の問題は続いていくに違いありません。

日本の道徳教育には欠陥がある

日本の学校では、道徳教育で「人のよろこぶことをしなさい」とか「人には親切にしなさい」とか「人を怒らせてはいけません」などと教えたりします。はたしてそれは適切なのでしょうか？

というのも、現実の世の中では「悪い人」がいます。学校だって、クラスメートに暴力で脅《おど》されて、お金をせびられ続ける子どもがいる。そのような人たちの存在を無視している道徳教育は、適切な教えをしているとはとても思えません。

「人のよろこぶことをしなさい」や「人を怒らせてはいけません」は、世の中に「いい人」しか存在しないことを前提にしています。たとえば「お金盗んでこいよ」と命令してくる人を前にして、「人を怒らせてはいけません」は必要でしょうか。

本当にいい人は、こうした綺麗事を真に受けやすく、相手を怒らせてはならないと犯罪行為に手を染めてしまうケースもあります。

ですので、**道徳の授業でも「悪い人」が存在することを前提にすべきです。**つまり、「悪い人には冷たくあたりなさい」といったことも教え、それに加えて、相手が「いい人」であるなら「人のよろこぶことをしなさい」「人には親切にしなさい」と教えるべきなのです。「人を怒らせてはいけません」も、世の中全般にいえる道理ではなく、「いい人」が相手の場合などに限定しなければならないはずです。

そうでないと、道徳の授業など、教室のなかではよくても、現実の世の中ではなんの役にも立ちません。綺麗事のみで成り立っていて、「悪い人」の存在を考えていないことは、日本の道徳教育の大きな欠陥だと思います。

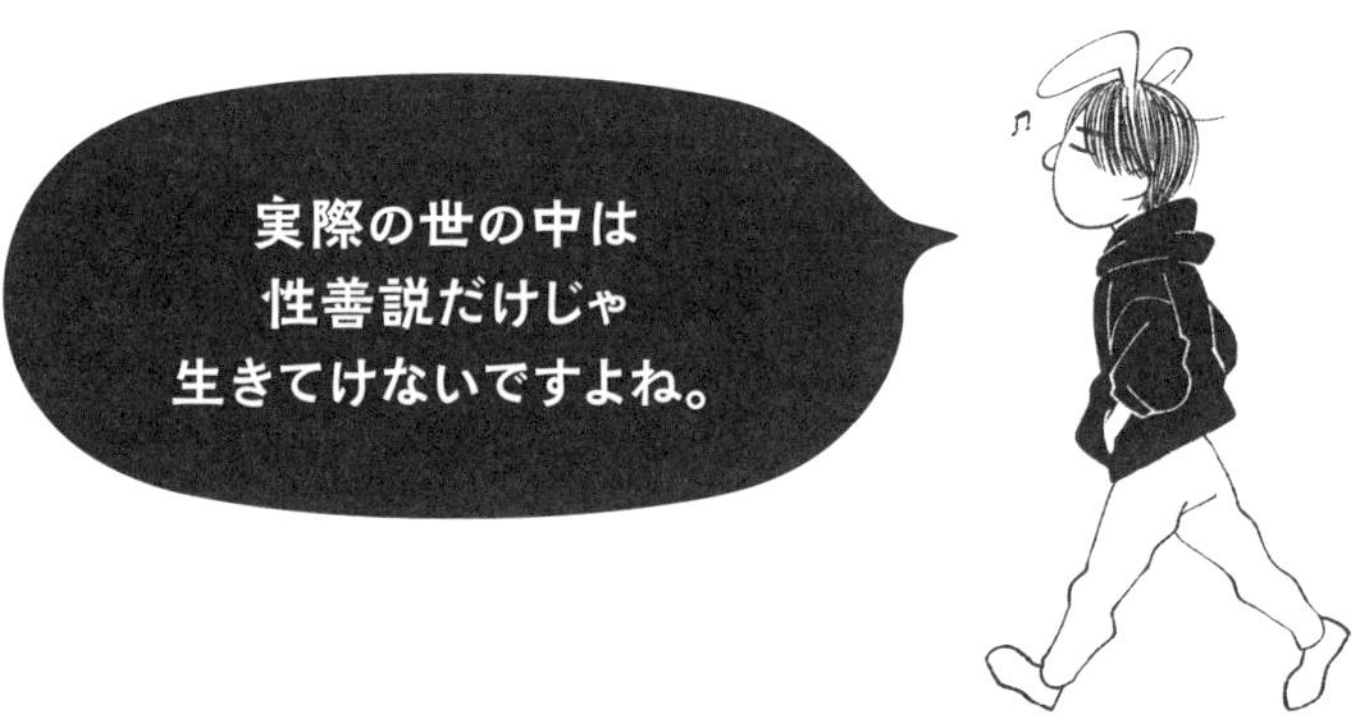
実際の世の中は
性善説だけじゃ
生きてけないですよね。

4月生まれの子どものほうが優秀になりやすい

プロ野球選手やJリーガーは、4月生まれがもっとも多いといわれています。日本の学校は4月からが新学年なので、同じ学年でも4月生まれと3月生まれとでは1年も開きがあり、小学校低学年ぐらいの年頃ではどうしても4月生まれが有利になります。

筋肉やらの成長の差が大きいのですが、これは勉強にもいえます。ほぼ1学年の違いがある4月生まれと3月生まれとでは、脳の成長してきた時間が違いますから、抽象的思考力とか、記憶力、理解度で差がつきやすいのです。**同じ算数の問題をやれば、4月生まれが有利なのはいうまでもありません。**

もっとも、こうした差は中学生、高校生と、歳を重ねるにつれて縮まっていくはずです。それでも4月生まれのプロスポーツ選手が多いのはなぜでしょうか？

幼少期の経験って
けっこうあとあとまで
引きずりますよね。

ぼくは「思いこみ」の働きが大きいのだと思います。たとえば、50メートル走とか九九《くく》の計算とかで4月生まれの子がよくできると、その子は「自分は勉強もスポーツも周囲の子より得意なんだ」といい意味で誤解します。

そのような自信ができるから、勉強やスポーツが好きになり、人一倍励《はげ》む子も多いはずです。その結果、本当にスポーツや勉強が得意になっていくのです。

反対に**3月生まれの子は、最初に劣等感をもちやすくなります。**同学年の周囲に比べて「僕はできないんだ」と誤解してしまうと、勉強の習慣もつかず、たとえ才能があっても、それを発揮できないまま歳をとることになりかねません。

これは学期を区切っていると絶対そうなるので、そのような子は、英語や公文式のような学校の授業と重なる内容の習いごとを、ほかの子たちより早く習わせて、自信をもって授業に臨《のぞ》めるようにしてはどうかなあと、僕なんかは思います。

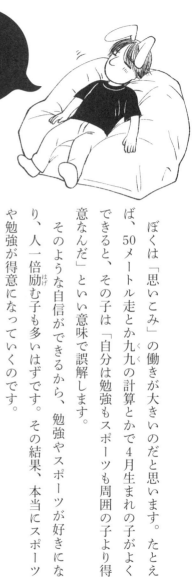

日本人は宗教への理解が足りない

長期的に見て、これからは日本でもなんだかんだ海外の人と仕事をする機会が増えてくると思います。そのとき、英語などができるとなにかと便利だと思いますが、もう1つ、宗教の知識も持っておいて損はないでしょう。

日本社会は、儒教《じゅきょう》や神道《しんとう》、仏教などが交じり合った独自の道徳観が人びとのあいだで共有されて社会が成り立っていますが、海外の多くの国ではその役目を宗教が担《にな》っています。ですので、**他国の宗教をある程度理解しておかないと、その国の人とうまくコミュニケーションが取れないことがあります。**

たとえば日本だと、「飲みニケーション」と称して、仕事終わりに上司と部下が居酒屋で一緒に酒を飲んで親睦《しんぼく》を深めるというコミュニケーションが行われてきました。

でも、欧米では仕事が終わったらみんなサッサと家に帰るのがふつうです。イスラム教徒であれば、そもそもお酒も飲めないし、豚肉だって御法度《ごはっと》です。敬虔《けいけん》な信者だと、みりんだって口にしません。

日本は宗教について知識が浅い人が多いと思います。**学校でも、役にたたない古文の文法を教えるぐらいなら、日本と世界の宗教を教えたほうがいいと思いますね。**

たとえば「イスラム原理主義」というと、多くの人は「なんだか危ない人たち」というイメージを持っているかもしれませんが、イスラム原理主義者とは要するに、イスラム教の聖典『コーラン』を忠実に守る人たちということです。

彼らからしてみれば、いまのイスラム教徒の多くは『コーラン』の掟《おきて》を破りまくっているからけしからん、と思っているわけですね。彼らには彼らなりの理屈と正義があるのです。

聖書も『コーラン』も、一度読んでみるとおもしろいですよ。

宗教を知っていると
世界のニュースも
違って見えます。

学校のテストで測れる能力は意味がない

これは前著『ラクしてうまくいく生き方』でも書きましたが、大学は卒業しておいたほうがいいです。結局、企業は学歴というか、偏差値で学生を判断するからです。だから、**勉強が苦ではないのであれば、まじめに勉強したほうがいいです。**

でも、偏差値が高いことと、仕事で成果を出せるかどうかはまったくの別問題です。とくに今後、ＡＩ（人工知能）やロボティクス化がさまざまな場面で進むと、偏差値が高くて勉強しかできない人の価値はどんどん下がっていくでしょう。

そもそもの話ですが、ＡＩ化が進んでいない現在ですら、じつは学校の勉強はほとんど役には立ちません。

知識を詰めこむよりも、いかに必要な情報をすばやくインターネットで検索して探し出

せるかというう力のほうが有意義ですよね（もちろん、コツコツ勉強を続ける勤勉さとか、読解力とか、論理的思考能力など、学校の勉強で身につけられる力もありますが）。

あと大事になるのは、きちんと自分の考えを伝える意味でのコミュニケーション能力、そして度胸でしょう。外国で言葉の通じない人たちとすぐに仲よくなれる人がたまにいますが、そのような能力ですね。

最近、**この「コミュニケーション能力」や、「意欲」「関心」「粘り強さ」「新しい発想」「挑戦する気持ち」など、テストの数値では測れない非認知能力が注目されています。**こういう点は、学校教育ではカバーされていないのが現状です。

非認知能力は幼児期から学童期にかけて大きく伸びるといいます。とくにお子さんが小さいうちは学校の勉強以上に重視したほうがいいと思います。

学校の勉強も大事だけど
「非認知能力」も
重要なのです。

学校の先生のいうことを真に受けてはダメ

子どもはいろんなことを知りたい好奇心の強い存在です。その子どもたちに物事を教えるのが学校の先生なわけですが、**子どもが学校の先生を「大人の手本」にしてしまうのは、あまりよろしくない**と僕は思います。

というのも、学校の先生の多くは大学で教職課程を経て、そのまま教師になります。つまり、一般社会に出たことのない人たちです。学校のほかの社会の仕組みを知らないので、考え方が偏《かたよ》りがちになり、子どもに教える際にもズレたことをいってしまうこともよくあると思うのです。

もちろん、これは学校の先生の言葉を無視していいわけではありませんよ。学校の勉強に関しては、彼らは専門の教育を受けて学んできたエキスパートなわけですし、まじめな

学校の先生のことは
勉強以外は頼りすぎ
ないほうがよいです。

人が多そうだから、そこは信頼していいと思います。

でも、**学校の勉強以外のこと、たとえば進路のこととか、生き方とか、そういう部分で先生の言葉を真に受けすぎるのは危険だと思うのです。**

とくに中高生だと、親以外に触れ合う機会のある大人って学校の先生だけのことも多いですからね。社会人の経験だったら、父親とか母親のほうがよっぽど豊富な場合も多いんじゃないでしょうか。学校の先生は民間の会社員と違い、営業ノルマもクビも基本的にない、特殊な世界ですからね。

それでいえば僕なんかは、**教師を目指す人には一度、ほかの民間の仕事を経験してから教師になってもらったほうが、よほど子どもたちのためになる**のではないかなと思います。

本書でもいろいろ述べているように、この社会って綺麗事だけで回っているわけじゃない、ということを知っている人が教育の現場にいたほうがいいのではないでしょうか。

キラキラネームは生きるのに不利

最近は自分の子どもに、すぐに読めない名前（いわゆるキラキラネーム）をつける人もいます。でも、**キラキラネームをつけられた子は、その後の人生で不利な目に遭《あ》う可能性が大きいです。**親がおろかな命名を思いとどまることを、願ってやみません。

たとえば、「電気鼠（ピカチュー）」という名前をつけられた子どもは、やがて就職活動のときに不利になることが予想できます。

同じぐらいの能力の応募者2人のうちの1人を採用するとして、それが「一郎」と「電気鼠」だとしたら、よほど電気鼠さんにすごい能力などがない限り、まず採用担当者は「一郎」を選ぶでしょう。「電気鼠」を選び、もしその人物に問題があれば、「なぜそんなやつを採用したんだ」と会社に怒られるのは目に見えていますから。

もちろん採用担当者は「名前が変だから落としました」とは絶対いいません。なので、**本人は名前に原因があるとは知らぬまま変な名前という重い十字架を背負い続けていくことになります。**

家を借りるときも、大家さんも、申し込んできた人が「電気鼠」だとしたら、名前だけ見て「なにをしてかすかわからない」と一抹《いちまつ》の不安をおぼえる可能性があります。

親からしたら、ユニークな名前で幸せに生きてほしいと願って命名するのでしょうが、その子がいずれ親に、さらにおじいちゃん、おばあちゃんになったときのことを考えたのかと問いたいです。

実際、「マイナーな名前の子の非行率はメジャーな名前の子よりも高い」というアメリカの大学の研究調査結果も出ています。そのような親のいる家庭環境は、子どもの成長にいいとも思えません。

子どもの学歴は親の収入で決まる

かつての日本では、裕福な家庭の子は私立の一貫校に進み、裕福でない家庭の子は、大学進学をあきらめるか、もしくは苦学の末に学費の安い国公立大学に進むという構図が一般的でした。そういうこともあって、貧乏な家庭に生まれた子どものなかから東大や京大などに合格することがよくあったのです。

でも、いまは国公立大学の学費も年間50万円以上と、一昔前ほどは安くありません。**国公立／私立を問わず、有名大学に行かせるには小学校低学年のころから塾に通わせることがふつうになっています。**貧乏な家庭に生まれた子が有名大学に行くことが難しくなっているのです。

これは統計を見ると、はっきりします。日本学生支援機構が２０１８年に発表した「学

東大合格者って
所得が多い家
ばかりなのです。

生生活調査」によると、大学生がいる家庭の平均世帯年収は、国立で８４１万円、公立で７３０万円、私立で８３４万円で、国立大学の学生の家庭がもっとも世帯年収が多いのです。また、東京大学がおこなった２０１８年の「学生生活実態調査」では、家計受持者の年収が９５０万円以上の学生の割合が実に60・８％を占めています。

お金に余裕がある家庭は、子どもの教育にふんだんに投資できますし、親の気持ちにも余裕があるから子どもの将来についていろいろアドバイスできます。お金がない家庭だと、日々の暮らしで精一杯で、金銭的にも精神的にも「それどころじゃない」というのが現実ではないでしょうか。

豊かでない家庭で育ち、有名大学を目指すも挫折《ざせつ》した人などは、努力不足だったなどと自分を責める必要はありません。家庭環境が原因なのだとさっさとあきらめて、ほかのことにチャレンジしたほうがいいです。

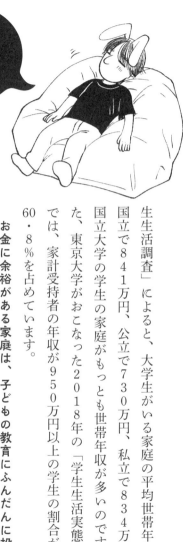

子どものIQの半分以上は遺伝で決まる

子どもを賢くしたいと考えている親御さんは多いと思いますが、残念ながら「頭の良し悪しは、おおむね遺伝で決まる」という研究結果が出ています。行動遺伝学を専門とする慶應義塾大学の安藤寿康《じゅこう》教授は、ＩＱ（知能指数）は児童期には41％、成人期初期には66％が遺伝の影響であるとしています。

ＩＱは環境の影響も受けますが、安藤教授によれば「子どものころは親の影響を受けやすく、大人になると自分自身の遺伝的な素質に合った環境を自分で選び、遺伝的な素質が増幅される傾向がある」のだそうです。

これを考えると、たとえば**小学校入学前くらいまでの幼児期であればお金や手間暇をかけて教育を施《ほどこ》すのは意味がありそうですが、そこをないがしろにして、10歳以降にお金を**

かけても、あまり結果に期待できなさそうですね。

さらに、性格も遺伝要素が大きいようです。たとえば「勤勉性」は52％が遺伝要素で決まるといいますから、勤勉な親に生まれたら勤勉な子になりやすいわけです。

もちろん、勉強嫌いの親から生まれても、身近に勉強ができる友人がいるなどの環境的要因から、勤勉で優秀な子に育つ場合もあるでしょう。**でも、その環境だって親の収入が大きく左右すると考えるべきですね。**家計が苦しくて塾に通わせるお金がないとか、まわりの子も勉強しないと、やっぱり頭はよくなりにくいのです。

ＩＱが高くて裕福な親を持った子どもは頭がよくなり、そうでない親を持った子どもは頭が悪くなるという、身も蓋《ふた》もない現実です。でも僕は、こういうことを知らないままで無駄な努力を続けるよりも、残酷な現実を認めて、それに応じた工夫なり生き方をしたほうがいいのではないかと思っています。

頭の良さも性格も
遺伝だけで
けっこう決まります。

50歳を過ぎてから結婚できる人は全体の1%未満

１５０ページや１５２ページで述べてきましたが、男性でも女性でも、年齢を重ねるごとに恋人をつくったり、結婚したりすることは難しくなります。20代のときは余裕でも、30歳を過ぎると、状況が一変してしまうのです。

かつての日本であれば、お見合いというものがあって、親とかお節介《せっかい》な近所のおばさんとかが結婚相手を見つけてきたりすることがよくありました。でも、いまはそういうこともありません。つまり、**結婚したいのであれば、自分の努力でなんとかしなければいけない時代になっているということですね。**

また、国立社会保障・人口問題研究所の２０１９年の統計によると、50～54歳の人の初婚率は男性が０・８１‰、女性が０・３８‰と、１％にも満たないというデータがあります（バツイチなどの人は別です）。

この数字は結婚したい人が結婚できる確率を示すものではありませんが、**50歳をこえてから初めて結婚できる人がほとんどいないことははっきりしています。**

40代、50代の独身者からすれば悲しい統計かもしれませんが、ぼくは開き直ることをすすめたいです。**「生涯独身」で生きると腹をくくり、残りの人生をたのしく過ごすことを考えてみてはいかがでしょうか。**

むしろ、「結婚すれば幸せ」とか「子どもがいれば幸せ」というのも古い価値観にとらわれた考え方ですよね。そうじゃなくても幸せに生きることは可能です。

その開き直りさえできれば、いまの日本はわりと暮らしやすい社会ではないでしょうか。独り身の人が増えているということは、決して社会のマイノリティ（少数派）ではないということですからね。

結婚してもしなくても
幸せに生きることは
可能ですよ。

産休・育休がとりにくいのは日本の会社に余裕がないから

日本の法律では、労働者の産休や育休の申し出を会社が拒《こば》むことはできないはずで、罰則も定められています。労働者とは、正社員だけじゃありません。育休なら、1年以上雇用されているなど一定の条件を満たせば、派遣労働者やパートも取得できます。

でも実際のところ、日本では育休をとっている男性は少ないですね。厚生労働省の2019年の統計では、**育休をとっているのは女性が83％ですが、男性は7・48％にすぎません。**法律で保障されている権利ですから、強く主張したり、裁判で争う姿勢をみせたりすれば育休もとれるはずですが、なかなかそこまでいかないのが大半でしょう。

とくに正社員以外の人は、下手なことをするといつクビを切られるかもわかりません。マタハラ（マタニティハラスメント）なんて言葉もあるように、日本では産休はともかく

もっと余裕があれば
子どもも育てやすい
環境になるはず……。

育休を申し出ることに対する風当たりは強いです。

日本で産休や育休がとりづらい理由は、「男が育児をする必要があるのか」などといった古い考えを持っている人が少なくないなどもあると思います。

でもそれより、**いまの日本の会社が、雇うほうも働くほうもそんな余裕がないのがほんとうの原因なんじゃないか……**と僕は思います。１００ページで説明したように、日本人って生産性が低くて非効率な働き方をしているので、給料が安いわりに忙しすぎて、みんな余裕がないんですよね。

そうなると、「子どもを育てるのは大変だからがんばれ。ぼくたちでカバーするよ」などとやさしくなれません。「俺たちは働いているのにマジけしからん」「休むぐらいなら会社を辞める覚悟をしろ」と考えがちなんじゃないかと思うんです。

これは日本のビジネスの構造的な問題で、個人ではけっこうどうしようもない問題でしょうね。

保育園の仕事は超絶ブラック

保育士は若い人が多い職業ですが、これは若い人に人気があるというよりも、若い人しかいないと考えるべきですね。実態はブラックなところが多いです。

まずなんといっても勤務時間の長さ。親は朝の9時とか出社する前に子どもを連れてきますから、保育園が始まる時間が朝8時半とかです。すると、保育士は準備などのために7時台には来なくてはなりません。親が子どもを迎えに来る時間は夕方5時すぎでしょうから、6時に終わるとしても保育士は10時間ぐらい勤務するのが当たり前。打ち合わせとかイベントの準備などは保育園が終わったあとにやるので、残業も多いです。

仕事もハードです。国の定めでは、たとえば3歳児だと子ども20人に対して最低1人の保育士をつけなくてはいけないことになっています。

しかし、**20人の幼児を１人で世話するのは大変です。**だれかがうんこを漏《も》らしたら掃除しなきゃいけませんし、そのあいだにほかの子どもたちがケンカするなんて日常茶飯事。食事も重労働で、料理の皿を投げる子がいたら、その子を叱《しか》りつつ、掃除もして、そのうえでほかの子たちに食べさせ、後片づけもしなくてはなりません。

こんなふうに保育士ってめちゃくちゃ大変な仕事ですが、**それでも保育園が回っているのは、保育士をやりたい人が多いからです。**でも、好きなだけでは、だんだん体力がもたなくなるし、給料も低いから結局5年ぐらいで辞めてしまう。すると新たに若い人が入ってきて、同じことが繰り返されます。**これってブラック企業がよくやる「やりがい搾取」ですよね。**

保育士の大変さはあまり知られていませんが、これは現場から声が上がらないためです。勤務時間を把握して労働基準監督署に持っていくなど、待遇を改善させる方法はあるはずです。

保育園では
やりがい搾取が
行われているのです。

日本は子どもが増えにくい社会

年収1200万円以上の人への児童手当の廃止が決定されるなど、子どものいる家庭への支援が打ち切られています。この流れは止められないと僕は思っています。

たとえば、「子どもがいる世帯はたいへんなはずだから、10万円を給付しましょう」という案が出たとします。でも、**国家予算が子どもたちのために使われることに対して賛成しない人は、日本人の大半を占めるのではないでしょうか。**

70代、80代、90代の人は、あと10年、20年で亡くなりますから、いまの子どもにお金をあげても、その子どもが納税者になるころにはこの世の中にいません。つまり、自分と関係ないことにお金を使ってほしくないんですよね。

「でも、自分の孫とかが幸せになったほうがいいでしょう」などと反論する人もいそうで

子どもたちを第一に考えられる人は少数派かもしれません。

すが、そんなのは子どもを持つ人たちの発想にすぎません。

人口統計をみると、日本は**「1人世帯」、つまり独身者が最多で34・5%も占めます。**また、結婚している世帯でも、子どものいない家庭が4割以上います。つまり、いまの日本では、子どもを持つ人は多数派じゃないのです。

いま、50歳以上で独身の人はすごく多くなっています。なかには、「就職氷河期の時代に生まれ、契約社員でこき使われて、結婚するチャンスも逃して独身のまま50歳を迎えたのに、なんであいつらばかり幸せなんだ！」と、むしろ子育て世帯に不満を抱いている人だって少なくないでしょう。そんな人たちが「未来の子どもたちのためにお金を使おう」などといわれても、素直に賛成できないのは簡単に想像できますよね。

日本で少子化が進むのはもちろん政治の責任でもあるのですが、その根っこを掘り進めていくと、じつは目に見えない国民同士の意識の分断があるんじゃないかと思うのです。

第5章

能力と才能の現実

あなたの同意なしに、
誰もあなたに劣等感を抱かせることはできない。

エレノア・ルーズベルト

世の中には無能な人も存在する

他人への優しさからなのか、「無能な人はいない」「能力を発揮できないのは置かれた場所が悪いから」と主張する人が世の中にはいます。僕は、これは単なる綺麗事だと思っています。**残念ながら世の中には物覚えが悪く、どんな仕事をしても、どんな作業をしても、ミスして人並みの結果を出せない無能な人が、そこそこ存在する**と思うのです。

そんな無能な人にウソをついて、へたに希望を抱かせるとどうなるか。目標設定を間違え、無駄な努力をして、自己肯定感が下がったりして、生きにくくなってしまうんです。

たとえば、会社のなかにいる無能な人に「がんばればできる!」などと発破《はっぱ》をかけても、たいして役に立たないスキルや資格の勉強をするなど、空回りしてしまいます。当然、成果は上げられないでしょうから、社内評価は変わりません。

それよりも、**無能な人は「人の指示に従う」ということを習慣化したほうがいいんじゃないでしょうか。**自分で考えて行動しても失敗することが多いのですから、だったらほかの人の意見に従ったほうがいいと思うのです。

もちろん、それでも成果は出ない、ミスをするかもしれません。でも、指示をした上司からは「こいつは仕事できないけど、いうことは素直に聞くなあ」と評価されたりするのです。

じつは、無能を自覚しているだけで、就けるポジションもあります。それは、周りの引き立て役。たとえば、よーい、どん！でみんなで一緒の仕事をしたとき、「○×さんはもう終わったの？　僕は全然できていないのに」ということで、有能な人に気分よく仕事させられます。すると、上司も**「こいつが無能なおかげで、組織がうまく回っているな」**と気づくのです。

無能な人は、それを受け入れ、あるがままで生きる術《すべ》を身につけるというのが、賢い生き方なんじゃないでしょうか。

「無能な人」がいたほうが、
うまく回ることだって
ありますよ。

人生はかなり「運」に左右される

僕は、努力すること自体は、悪いことだと思っていません。でも、努力をすれば結果が出る、とも思っていません。**努力でなんとかなることもありますが、じつのところ、人生では「運」に左右されることが、幸か不幸か多いと思っているからです。**

いちばんわかりやすいのは、容姿や身体能力ですよね。これは両親の遺伝に左右されるので、運です。あと、「どの時代に生まれるか」も運ですね。サッカーの天才でも、江戸時代に生まれていたら、現代のような高収入は手に入れられないでしょう。

でも、**いまこの本を読んでいるあなたは、「運がいい人」だと思います。**すごく安全で、当面は戦争と無縁な日本に生まれていますからね。もし、テロが頻発《ひんぱつ》しているソマリアとか内戦が絶えないシリアとかで生まれていたら、どれだけ頭がよくても、イケメンや美女でも、大人になる前に死んでいたかもしれないのです。

そういう視点で考えると、日本はかなりお得な国です。たとえば、日本のパスポートを持っていれば、ほとんどの外国に行けます。もし北朝鮮に生まれたら、中国以外、ほぼ行けないでしょう。それに、世界中のビザが申請できる日本国籍は、外国人だとなかなか取れない〝レアもの〟です。僕が住むフランスだと、フランス人と結婚すれば外国人でもフランスの国籍を取れ、労働許可も得られます。でも、日本は日本人と結婚しても、それだけでは国籍を取れません。「日本に引き続き5年以上住所を有すること」「生計を営むことができること」など帰化条件をすべて満たし、許可を得る必要があります。外国から高待遇の日本ですが、外国にはシブい対応なんです。

この世は努力してもどうにもならない、運に左右されることが多い。このことを知っていれば、無駄に落ち込んだり、労力を浪費したりすることもなくなるんじゃないでしょうか。

努力しても
どうにもならないことは
けっこうありますよ。

35歳くらいになると性格は変えられない

世の中には「自分の性格を変えたい」と思う人向けに、セミナーや自己啓発本なんかが出ています。でも、**歳をとってから性格を変えるのは、かなり難しいでしょう。**

アメリカの哲学者・心理学者のウイリアム・ジェームズは「30歳を過ぎたら、人の性格は石膏《せっこう》のように固まり、変えることはできない」と語っていますし、心理学の分野では30歳や35歳をすぎると性格が変わらなくなることを示す研究結果が出ています。ぼくも、35歳ぐらいになると、ほとんどの人はもう性格が変わらないと感じます。40歳をすぎて性格の丸くなった知り合いが1人だけいますけど、それはかなりレアケースです。

40歳、50歳になって突然頑固《がんこ》になる人もいますから、頑固になって性格が変わらなくなるというのが人間の老化のシステムである気がします。

年配の人はいつか嫌われる日が来るのを覚悟してください。

ですので、「自分の性格を変えたい」と考えられるのは若いうちだけだと思ったほうがいいです。**歳をとったら、「性格は変わらない」と開き直って、自分の性格とうまくつきあっていくことを考えるべきかもしれません。**

ただし、遅刻をよくするとか面倒くさがり屋みたいな、他人に迷惑をかける性格を放っておくのはよくありません。いまはよくても、やがて「老害」と思われて相手にされなくなりそうです。**自分の「老害化」がこわいのは、それまでは周囲から許されていた性格や行動が、ある日突然「許容量ゼロ」に見舞《みま》われて、完全拒絶を受けがちなこと。**そうなるタイミングも本人にはわからないので、気をつけなくてはなりません。

なにを隠そう、僕自身、遅刻が多くて面倒くさがり屋で、この性格はまったく変わっていません。いまはとくに困ってないですが、いつかやがて完全拒絶される日が来るでしょう。まあ、それは仕方ないだろうなあと思っています。

頭がいい人はどんどん都会に吸いとられる

地方出身のある友人がいうには、彼の地方では20年ぐらい前には毎年数人が東大に行っていたのが、最近はほとんどいなくなったそうです。聞くと、**かつて東大に行った人が東京で成功して故郷に戻らなくなった**からではないかといっていました。

これは日本全国でよく聞かれる話です。優秀な人はみな東京の有名大学に行ったきり帰ってきませんね。結果、日本の地方では学歴のある人がどんどん減る。もちろん、いまでも東大に行く地方出身の人はいますが、彼らもまた東京に吸い取られてしまうので、地方が優秀じゃない人の純粋培養的な役目になってしまうのです。

そうなると、**地方で暮らす人は世界の流れに疎《うと》くなってしまいます。**情報そのものはインターネットがあるからどうにでもなるのですが、東京みたいに身の回りに有名四大卒の人や大手企業社員のようなエリートがいません。

社会のなかでそれなりのポジションについている人がどういう人たちで、どうやってそのようになったのか、見当がつかなくなってしまうんです。ローカルな考え方に染まって、グローバルな常識とかとズレるということが起こります。

日本の多くの地方がいまは持ちこたえていますが、将来的に経済が成り立たなくなっていると、ろくに医療サービスも受けられなくなる可能性もあります。

目先の生活ばかりに目が行くと、自分たちの子どもが大人になるころのことに思いを馳せる余裕がなく、「毎日楽しければいいよね」と済ませてしまう。

そういう考えが悪いとは思いませんが、地方にいるとついつい世の中の流れが見えなくなってしまいがちなことは、注意しておいたほうがいいと僕は思います。

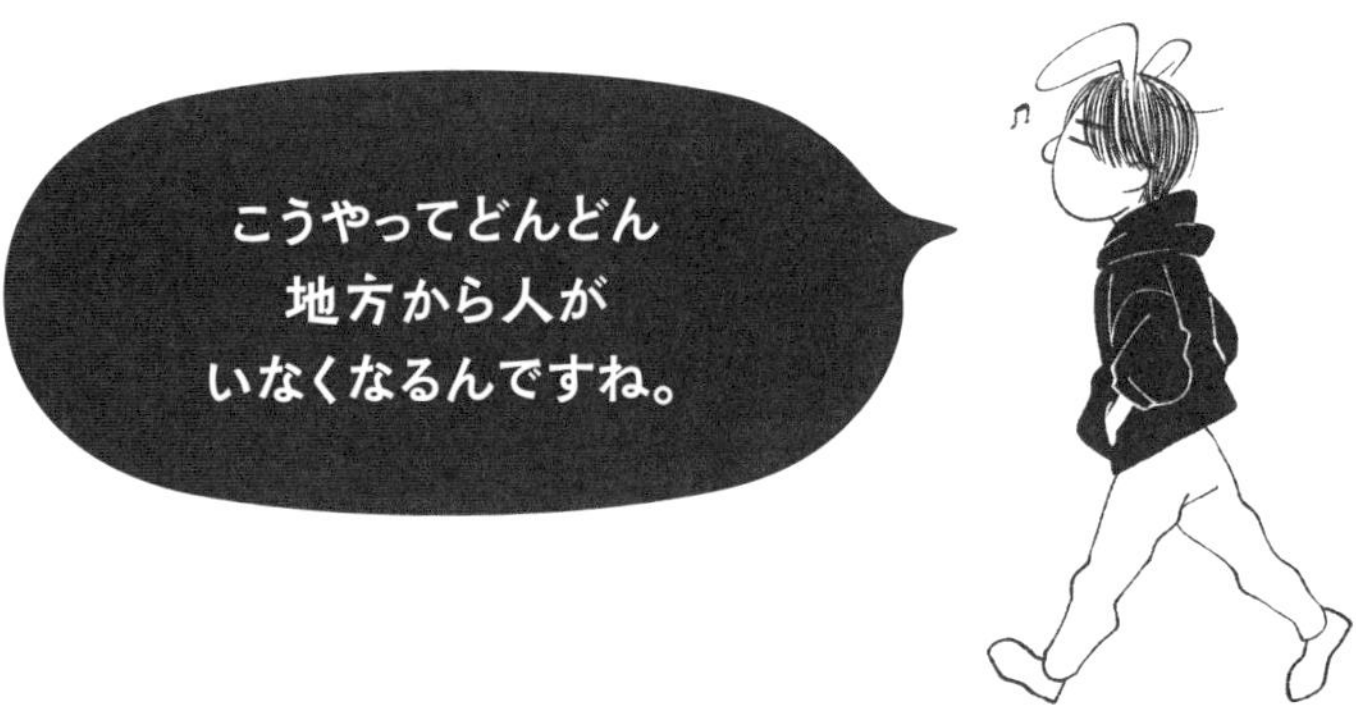
こうやってどんどん
地方から人が
いなくなるんですね。

感情や欲求はコントロールできる

「感情や欲求をコントロールできない」ってよくいいますが、あれはウソみたいなものです。たいていの人間は感情をコントロールできます。

たとえば、道を歩いていてお腹がすき、「なにか食べたい」という感情が沸《わ》き起こっても、たいていの人は八百屋《やおや》さんに並んでいる野菜にかぶりつくことはありませんよね。いくらお腹がすいていても、ほしい商品を店員さんに渡して、レジでいわれた金額を払う、という段取りをちゃんとやっているわけです。

怒りの感情もやみくもにぶつけているわけではありません。たいていの人は、自分が怒ってもいいと思う相手かどうかを見きわめて怒っているはずです。肩がぶつかってカッとなったとしても、相手が屈強そうな人だとか、あるいは逆に体の不自由な人とかだった

自分の力でどうにか
できそうなものは
改善しましょう。

ら、怒りをぶつけたりしないのではないでしょうか。

このように、**「感情をコントロールできない」と口にする人は、じつはできないのではなく、「コントロールしなくていい」と思っているのにすぎません。**

太っている人で、「痩《や》せたいしお金もほしい」といいながら、がつがつ食べている人がいるとします。痩せたいのなら食べなきゃいいのだし、しかも食べなければお金も貯まるわけです。当人は「食べたいという感情をコントロールできない」と思うかもしれません。

でも、実際は、本人がその感情をコントロールしようとしない、つまりそこまでは「痩せたい」とも「お金がほしい」とも思っていないということなのです。

社会の仕組みとかはどうしようもないことですが、**自分ができることをできないと思うことはもったいないな**と僕なんかは思います。

記憶力の良し悪しは子どものころの経験に左右される

記憶力が悪いことはデメリットに思われがちですが、僕はそうは思いません。一昔前なら不便だったかもしれませんが、いまはインターネットで検索すればなんでも出てきますから、覚えることの必然性はなくなったのではないでしょうか。

たとえば僕は幼稚園のころのことはほとんど覚えていません。これは、幼いころにたいして衝撃的な出来事がなかったからだと思います。

子どもの記憶は大きな衝撃を受けたときに刻まれるものです。たとえばヘビに咬《か》まれる経験をすると、同じような事態を避けるために自己防衛本能が働き、その記憶をしっかり脳に刻もうとするのです。

ほかにも、両親の仲が悪かったとか、家が火事になったとか、嫌なことを体験している人のほうが、記憶力がよくなりやすいんじゃないかなと思います。

ですので、**記憶力がいいことが得なのかどうかといわれたら、そのために失ったことと比べて損か得か、**ということになるでしょうね。

学校でいじめをうけた人は記憶力がいいはずです。いじめから逃れるために、自分をいじめそうな人を避けたり、どうやっていじめられないで済むかと頭をフルに使ったりしながら記憶力が発達していくと考えられるからです。

そうやって発達した記憶力のよさがいいものかどうかは、一概にはいえません。

僕はいまも記憶力が悪いです。子どものころにいじめなどに遭わなかったからじゃないでしょうか。**記憶力が悪いので、嫌なことがあっても寝たらすぐに忘れてしまいます。**

記憶力が悪いと、けっこう、毎日楽しく暮らせるものです。

悪いことが起きたほうが
記憶力はよくなる
ような気がします。

サプリメントで栄養が補給できると思うのは間違い

栄養不足だからとサプリメントを飲んでいる人もいると思いますが、はたしてそれが本当に役に立っているのかどうか、じつはまだよくわかっていません。

そもそも、**人間にとって本当に重要な栄養素がなんなのかは、じつはまだ解明されていないのです。**いまわかっている栄養素でも、たとえばビタミンKの正確な機能が解明されたのはたかだか40数年前ですし、亜鉛や鉄などが必要であるとわかったのもごく最近です。

栄養学の世界ではいまも新しい栄養素の発見や解明が行われていますが、これはつまるところ、人間が必要としている栄養素のすべてがわかるほどには、人間は賢くないということではないでしょうか。

たとえば、野菜を食べていないからとビタミンのサプリメントを飲んでも、それが果たして効果があるのかはわかりません。

もしかしたら、野菜に含まれている別の栄養素がないとビタミンを摂取してもあまり意味がないとか、そういう可能性もあるのです。だから僕は、**サプリメントでピンポイントに栄養を摂取しようとするよりも、なるだけ幅広い食品を食べていろんな栄養素をとるのがいい**と思うんですね。たとえば、八百屋さんで見たことのない野菜や果物をみたときは必ず買うようにしているんですよ。

最近は原始時代の食習慣を取り入れた食事法もありますが、学ぶべきところがあるのではないかと思います。日本でいえば縄文時代の人たちです。

以前は縄文時代の人の寿命は短いと考えられていましたが、最近の研究では彼らの３分の１近くが65歳以上まで生きていたことがわかっています。ろくな医療がなかったことを考えれば、意外と長寿だったといえそうです。

サプリメントより
いろいろなものを
食べてみましょう。

読書量と年収は比例しない

たまに書籍やネットの情報で見かけるのが「年収が高い人はたくさん本を読む。逆に年収が低い人はぜんぜん本を読まない。だから本をたくさん読んで年収を上げよう」みたいなロジックです。

いやこれ、おかしいですよね。たしかに、さまざまな調査データなどでは「年収が高い人は本をよく読む」というのがあるかもしれません。**でもそれって、どっちが原因で、どっちが結果なのかはわからないわけです。**

つまり、たくさん本を読んでいるから年収が上がったわけではなくて、そもそも年収が高い人はお金に余裕があるから、本をたくさん買って読める……というだけかもしれないわけです。

**因果関係がどうなのか
自分で考える
習慣をつけましょう。**

だいたい、読書量と年収が比例関係にあるのだとすれば、古典とか漢文とかを研究している人のほうが、商社マンとか金融マンよりも年収が高くなるはずです。

でも、そんなことはありませんよね。大学の先生の年収はそんなに高くありませんから。

これは別に読書に限った話ではなくて、「年収が高い人は〇〇をしている」「長寿の人は〇〇を食べている」というようなロジックは、鵜呑みにせず、疑ってかかったほうがいいでしょう。収入が多くなるとか、長生きするとかは、もっといろいろな要素が複雑に絡み合った結果だと思いますよ。

こういうロジックを使う人は、いかにも説得力がありそうな調査データとかを使ってきますが、データをいくら見ても、その因果関係まではわからないはずです。

というか、本を読む目的が年収アップのため、というのは、発想が貧相というか、切ないですよね。

大学の勉強よりよほど役に立つのは〇〇学

大学の勉強って、とくに文系の場合は結局本を読むばかりで、自分ひとりでもできることがほとんどなので、たいして役に立ちません。**どこの大学だろうが「この大学でこれを学びました」と胸を張っていえる人なんて、ほとんどいないんじゃないですかね。**

僕は大学で心理学を専攻しましたが、結局やることといえば心理学の本を読むことだったので、つまらなかったです。

ただし、心理学専攻でよかったことが1つだけありました。**それは統計学を学んだことです。**統計学の知識を身につけると、たとえば「AのサイトとBのサイトのどちらがかっこいいか」を調べるときに、どういうふうにアンケートをとり、その数字をどのように分析すればいいのかがわかります。統計を使わないと「明るいトーンでなんか好き」などと

統計学を学んでおくと
騙されることが
減るのでは?

いう主観的な評価しかできませんからね。

それと、**ニュースなんかで使われる「平均年収」などの数字を鵜呑みにしなくなるのも、統計学を学んで役に立つ点です。**例を出すと、「平均値」と「中央値」の違いを知らない人はけっこういます。でもこの２つは大違いです。

たとえば社員数が10人の会社で、９人の年収が１万円、１人の年収が１億円という場合、この会社で働いている人の平均年収は１０００万円ちょっとになります。現実と乖離《かいり》してますよね。これが中央値だと、真ん中の５番目の人の年収になるので「１万円」になり、現実に即したものになります。

さまざまなニュースを見ていると、一般には「平均値」がよく使われます。平均値を使ったほうがいいケースもあるかもしれませんが、もしかしたら意図的に平均値を使って、受け手の印象をコントロールしようとする意図があるかもしれないのです。統計学は学んでおいて損はないですよ。

知識よりも体力のほうがよほど大事

頭の悪い人も、学校でがんばって知識を身につける必要があるか？　結論からいうと、ありません。たしかに頭の働かせ方や訓練はそれなりに必要ですが、そこで詰め込む知識そのものにはあまり価値がないのではないかなと思っています。

知識はあとでいくらでも身につきますし、たいていの知識は古くなります。法律にしろ経済にしろ、基本的な考え方は重要ですが、それらの知識は次々に変わってしまい、前に覚えた知識は無用《むよう》の長物《ちょうぶつ》になってしまうことも多いのです。ですので、学校で学ぶよりも、その後の人生で最新の知識を自分で身につけるほうがいい。

どうしたら最新の知識を身につけられるかというと、結局は体力が最後の砦《とりで》になります。

社会人になって1日8時間働き、くたびれはてて家に帰っていたら、1時間でも時間を割《さ》いて新しいことを学ぶ意欲は湧きませんよね。ネットサーフィンとかで時間をつぶして1日が終わってしまうのがオチです。要は、心だけでなく体力に余裕がないと、知識を得続けることは難しいわけです。

しかも、**体力が落ちると脳に十分な血液が流れなくなって、頭の働きが鈍り、正しい判断もできなくなります。**僕はこのことをダイビングで体験済みです。20〜30メートル潜ると、水圧で脳への血流が減り、単純な暗算すらできなくなるんです。

学生時代にいくら勉強をがんばっても、社会人になって勉強しなくなったら知識が古びます。でも、十分な体力が培《つちか》われていれば、たとえ学生時代に勉強していなくても、社会人になってから挽回《ばんかい》できると思うのです。

というわけで、**若いうちは知識よりも、8時間働いたあとも勉強ができるような身体的、精神的な余裕をもてるだけの体力をつけたほうがいいと思いますよ。**

体力さえあれば
いざというときに
がんばれるのです。

努力できない人は、がんばっても努力できない

「才能のない人は人一倍努力しないと、才能のある人に追いつけない」というようなロジックがありますが、ウソだと思います。

そもそも「才能のない人が努力する」という考え方には、根本的な間違いがあります。

なにが間違いかというと、「努力はだれでもできる」という前提です。

僕はこれまでいろいろな本で同じことを主張していますが、**努力によって解決できることは、すごく限られていると思います。そして、この世には努力したくてもどうしても努力できない人もいると思うのです。**

にもかかわらず「努力しなさい」がいわれがちなのは、おそらくこの社会をリードする人たちの多くが「努力する」ことをなんでもないと思える人だからでしょう。

努力できる人は、努力できない人がいるという考えが抜けてしまいがちなんですね。たとえば「やればいいじゃん」みたいな言い方をする人にとっては、努力なんて大したことじゃないと思っているのではないでしょうか。

僕はできれば仕事なんかせず、ダラダラ過ごしたいと思う人間です。だから、勉強でも浪人して中央大学という微妙な位置の大学に入るのがやっとでした。客観的に見ても、努力できるタイプではないのです。

「努力できる」ことは、ある種の才能です。幼少期とかならトレーニング次第で変われるかもしれませんが、大人になってから、努力できる人間に変わるのは難易度が高いでしょう。

でも別に、**努力できないからといって、それを気に病《や》む必要はないはずです。**そういう人はまず自分には「努力の才能」がないことを認め、立ち回りの要領のよさでいかに生きていくかをちゃんと決めれば、それでいいんですよ。

努力ができなくたって
生きていくことは
できますよね。

陰ながらの努力は報われない

だれも手をつけず、ほったらかしにされた仕事をこなしたり、頼まれたわけでもないのに率先してみんなの役に立つ資料をつくったりと、陰で努力する人はどんな組織にもいるものです。

なかには「きっとそのうち見てくれる人がいるはず」と、上司たちの評価をほんのり期待している人がいるかもしれません。でも、**「いいことをやっていると、お天道様《てんとう》や神様が見ている」といったことはないのが現実です。**評価してもらいたいのであれば、ちゃんと自分でアピールしないとダメです。

これが経営者なら、陰の努力が評価されなくても構いません。経営者は社員にほめられるよりも事業がうまくいくことのほうが大切ですから。

なにか努力したら
努力したことを
アピールしましょう。

でも、**平社員とかは社内で評価されてナンボの立場ですから、陰の努力が認められないのは不本意ですよね。**

日本人は「言わぬが花」みたいなところがありますから、あまりアピールをしたがらない人が多いです。でも、「上司なら、ちゃんとみてくれているに違いない」と思いがちなのは、目上の人が「部下である自分よりも能力値が高い」と想像するからでしょう。

実際、アピールなどしなくても自然に評価されることがまれにあります。しかし、それは社員の努力を正当に評価できるような優秀な上司や同僚がいる場合に限られます。

残念ながら日本の企業にいる上司の多くは無能です。だからアピールが大切なんです。事あるごとに自分のやっていることを周囲にわからせ、それが会社にとっていかに大切かを示す努力が必要です。

「私、がんばってます」と言い続けましょう。

個人として有能でも、経営者が無能だと報われない

頭がいいとか、要領がいいとか、コミュニケーション能力が高いとか、いわゆる有能な人間のほうが年収は高くなるものだと考えがちですね。でも、じつはそうでもないのがこの社会の残念なところです。

どういうことかというと、**どれだけ有能な人間でも、所属している組織のトップが無能な場合、報われないことがよくあるのです。**

いい例が大塚家具です。大塚家具は大塚勝久氏がタンス店から創業した会社で、高級家具専門店というポジションで大きくなりました。しかし2015年、勝久氏の娘の大塚久美子氏との親子ゲンカがエスカレートし、ゴタゴタの末に勝久氏が退任して、久美子氏が社長に就任しました。

久美子氏はＩＫＥＡなどの安価な家具店に対抗して安売り路線を目指して失敗。大塚家具は、ヤマダデンキを擁《よう》するヤマダ・ホールディングスの子会社になってしまったのです。

久美子氏は一流大学を卒業してＭＢＡを取得したいわゆるエリートですが、結果を見れば経営者としては無能だったといわざるを得ません。

大塚家具の社員の人たちにとっては悲劇ですね。高級家具を買いにくる高所得者のお客さんたちを接客して、高額商品を販売できる優秀な社員がたくさんいただろうに、リーダーの失策によってとばっちりをくらってしまったわけです。

自分が有能でマジメでも、経営者とか上司が無能だと、まったくその力を発揮できなくなるのがこの社会です。**そういうのはどうしようもないところもありますが、ヤバそうな人が上に立っているのであれば、さっさとその組織からは逃げたほうがいいかもしれませんね。**

経営者が無能だと
社員はどうすることも
できません。

キレやすい人は他人にコントロールされやすい

世の中には自分の感情をコントロールするのが苦手で、すぐに怒ったり泣いたりしてしまう人がいますよね。別にそれが悪いとは思いませんが、そういう人は騙されたり、損な経験をしてしまうことが多くなると思います。

人間には感情と理性のどちらもあります。そしてなにか物事が起きたとき、先に湧き上がってくるのが感情で、理性はそのあとに出てきます。**感情をコントロールできない人は、理性が出てくるのを待たずに言葉を発したり、行動してしまうんですね。**

ネット上のさまざまな発言を見ていてもわかりますが、感情に支配されてしまうと、たとえばメディアの恣意的《しいてき》な報道を真に受けてしまったり、インフルエンサーとよばれる人の発言を鵜呑みにしてしまったりして、世間とか他人にコントロールされやすくなると思

感情と事実は
分けて考えたほうが
いいですよ。

うのです。

僕はあんまり感情的にならないタイプです。なので、たとえば「悪い人」がぼくに寿司をごちそうしてくれたら、ぼくは**「悪い人から寿司をごちそうになってうれしかった」**と考えます。ところが、感情的なタイプは論理よりも感情が優先されますから、寿司をごちそうしてもらうと、相手を「いい人だ」と思っちゃったりするわけです。

とはいえ、すでに大人になっている人がいまさら自分の感情をうまくコントロールできる人間に変わろうとするのは、かなり難しいでしょう。僕としては「自分は感情をコントロールできない人間なんだ」と自覚して、気をつけて生きてくださいねとしかいえません。

逆に、**自分の上司とか取引先とかが感情をコントロールできない人だったらチャンスですね。**そういう人はちょっとおだてたりすれば、自分の思うように動かしやすい人だからです。

いじめは、なくならない

「いじめは悪いことだ。根絶されなければならない」という人がいたりします。でも、いじめがなくなることはないいんじゃないかと僕は思います。

いじめをしても儲かるわけではないし、だれからもほめられません。それでも学校や会社なんかでいじめが起きるのは、ただ単にいじめることが楽しいからでしょう。人間だけでなく、イルカなどの動物でもいじめはあるらしいので、**いじめはある程度社会性のある動物の本能ととらえるしかなさそうです。**

いじめられた人が「なぜ自分はいじめられるのだろう」と思い悩むのも、意味がないと思います。まっとうな原因があるわけでもなく、エンターテインメントとしておもしろいから、だれかをいじめたい。そんなときに、周囲のだれがいじめやすくて、だれをいじめるとおもしろいか、ってのに引っかかっただけだからです。

もし、**すでにいじめられている場合、それを止めることはすごく難しいので、いじめがないところに行くべきですね。**

たとえば高校の場合、だいたいは頭の悪い人がたくさんいる高校のほうが、いじめがよくあります。というのも、いじめが見つかって退学させられたり、内申に変なことを書かれたりすることのデメリットは、進学校のほうが高いからです。

人は、いじめの快楽が１だとして、無事に卒業していい大学に合格する快楽が８だとしたら、８の快楽を犠牲にしてまで１の快楽を求めることはありません。退学になってもべつにいいや、とは考えられないメリットのある場では発生しにくいでしょうね。

いじめがない学校とは、校則が厳しいとかではなくて、その場所に居続けたいと思えるだけの理由がある学校です。そういう学校や職場に行くことをすすめます。

いじめって
きっと人間の
本能なんでしょうね。

字がきれいな人のほうが得をする

ぼくは字がめちゃくちゃ汚いです。きれいに書けるように努力したこともないし、そのために時間をかけたいとも思ったことがありませんから。

だいいち、いまは字を書く機会がないし、字がきれいであることのメリットなんて、あんまりないのではないでしょうか。

とはいえ、**やっぱり字がきれいか汚いかでいえば、日本社会ではきれいな人のほうが得をする機会は多いと思います。**これも容姿とかと同じで、字がきれいなだけで「ちゃんとした人」だと思われやすいからです。

なぜかというと、字がきれいな人はひたすら反復練習を繰り返した人たちだからです。

字をきれいに書けるようになるにはひたすら反復練習することが必要ですが、そういうことにまじめにコツコツ取り組める人の証《あかし》であると考えられるわけですね。

こういう人たちってわりと勉強の成績もいいのではないでしょうか。**「字がきれいな人」イコール「勉強ができる人」という図式が成り立ちそうな気がします。**言い方を変えれば、２０８ページで述べた「努力の才能」がある人だと判断できそうなのです。

というわけで、字がきれいなほうが得をしそうなのですが、そもそも努力するのが苦手な人が、大人になってからがんばって字を練習しても、そもそも努力の才能がない可能性があるので難しいのではないかな、と思ってしまいます。

あと、**なんとなく印象がよくなりやすいということ以外、字がきれいなことのメリットってそんなにないですしね。**

字の練習をするのがおもしろいならいいですが、そうでないなら、そのことに時間と労力をかけてもあんまりコストパフォーマンスは高くないのではないかと考えてしまいます。

わざわざ努力して
字をきれいにしなくても
まあ問題ないでしょう。

「友だち」がいない人は不幸になりやすい

ハーバード大学のとある研究では、レベルの高い大学の卒業生とボストンの貧しい人たちの人生を追跡して、「なにが人間の幸せを生む要因であるか」を75年間も調査し続けているそうです。

そこで出た結論は、**「いい人間関係」が幸せを感じさせるということ。**つまり、家族とか友達関係が幸せに直結するという、ある意味、当たり前の結論です。お金がいくらたくさんあっても、いっしょに遊びに行ける、心を許せる友達とかがいないとあまり幸せじゃなさそうだから、まあ納得できますよね。

ただし、別に友達が多ければそれでいいわけでもありません。いくら友達がたくさんいても、それが浅い友情ばかりでは、あまり幸福には直結しないのです。

学生時代のうちに
親友がいたほうが
幸せになりやすいです。

では、どういう人間関係が必要なのか。それは**「本当に困ったときに助けてくれる人間」**です。たとえばちょっと極端な例ですが、自分が法を犯して警察に追われていても、黙って一晩くらいは自宅に泊めてくれるかどうか、みたいな感じです。

犯罪者を自宅に泊めるなんて、リスキーでデメリットしかない行為ですよね。なのに泊めてくれるということは、その人は自分のことをメリット／デメリットで考えていないということです。そういう人間がいるかいないかが、幸福度にすごく影響を与えるということなんです。

こういう関係って、社会人になってからつくるのはすごく難しいです。社会人になると仕事がらみでつき合うことが多いので、必然的に損得勘定が働きやすいんですよね。

仕事とかいっさい関係なしに親しめる腐れ縁の関係は、学生時代でないとつくりにくい。なので、僕は10代の人に友だちをつくることはぜひ勧めたいですね。

能力がないのにやる気がある人は厄介

「ゼークトの組織論」といわれるものがあります。ドイツの軍人ゼークトが軍人を4つのタイプに分け、それぞれのタイプの人間をどう扱うべきかを述べた理論です（実際にはハマーシュタインなど別人が語った言葉だという説もあり、あまりハッキリしません）。

この理論では、兵隊を**「やる気があって有能な人」「やる気がなくて有能な人」「やる気があって無能な人」「やる気がなくて無能な人」**の4つに分けています。

まず「やる気がなくて無能な人」は、前線に飛ばして命令通りに動かすのがいいとしています。こういう人たちは命令に従うぐらいしか取り柄がありませんから。

「やる気がなくて有能な人」は、指揮官だとかトップに向くようです。指揮官だったらやる気が必要じゃないかと考えてしまいがちですが、じつはリーダーって手抜きをしたがるなまけ者のほうが、うまく組織を回せたりするのです。

「やる気があって有能な人」は、参謀に向いているそうです。人に任せるのが苦手なので、こまごま働くリーダーのサポート役がピッタリだということですね。

さて問題なのが、「やる気があって無能な人」です。こういう人間が組織にいると、むしろ害悪になります。無能なら前線でひたすら命令通りに動けばいいのに、やる気があるから自分で突っ走ってしまう危険性があるのです。

たとえば、まだ能力も経験もない無能な新入社員が勝手に社外で話を進めて、あとで「できませんでした」となったら、会社にとって大損害になりますよね。

188ページで述べたように、この世には無能な人間がいます。そういう人間はヘンに有能な人と張り合おうとせず、無能さを自覚しながら生きていくべきでしょう。これは、その人のためであるだけではなく、組織のためでもあるのです。

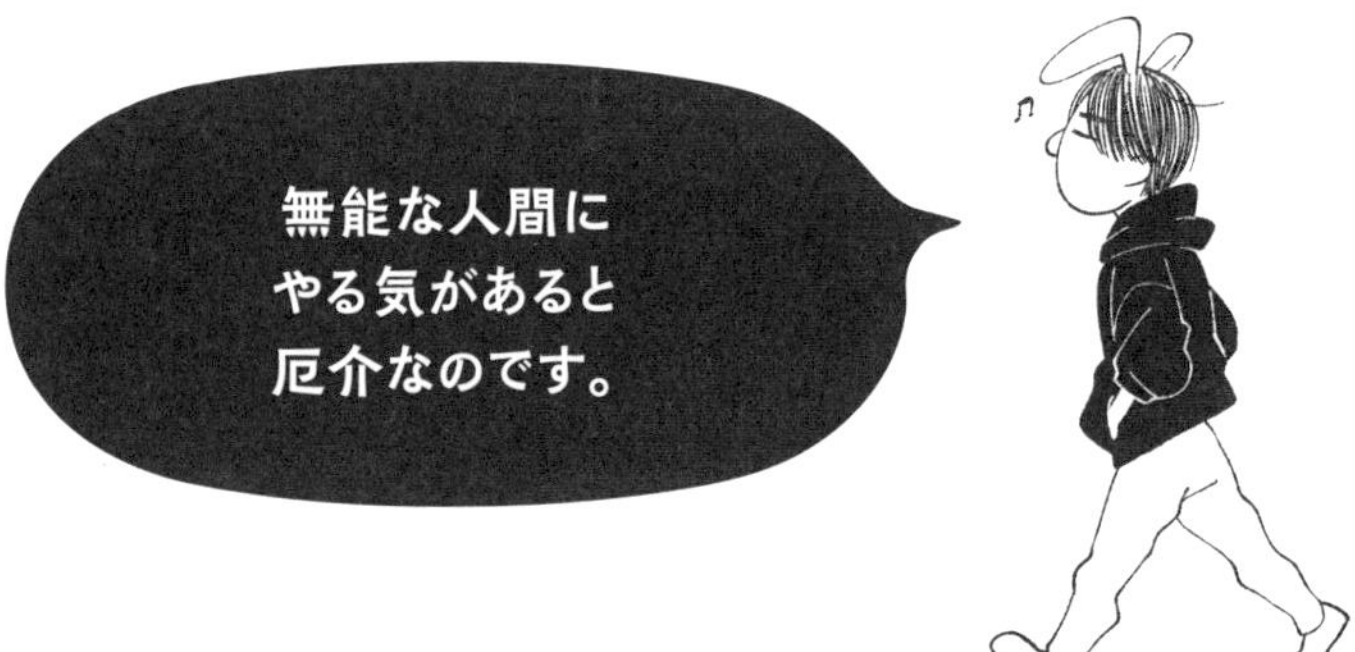

依存症は治らない

家族にギャンブル依存症の人がいると大変なことになります。収入の大半を使いこんだあげく、借金までするようになったら、ふつうに暮らしていけるかもわかりません。たいてい本人に悪気はないのですが、依存症になるとほかのことを考えられなくなってしまうんです。

家族の人からすれば、なんとしても治したいはずです。でも、治療を受けたり、セミナーに出たりしても、完全に治ったという人はあまりいないようです。**ギャンブルに限らず、依存症は基本的に治らないものです。**よく聞く話ですが、禁酒とか禁煙には終わりがありません。死ぬまで続けることで、やっと禁酒・禁煙は成功したとわかるのです。

逆に、「依存症はいつか治るもの」という期待を捨ててしまえばいいのではないかと思

依存症になったら
それと付き合って
生きる覚悟が必要です。

います。**依存症と一生つきあっていくと考え、それでも生活が回る環境づくりに努めることが現実的な対処法でしょう。**

もっとも深刻なのは借金で生活が回らなくなることでしょうから、その場合は物理的に借金できなくさせるしかありません。たとえば、日本貸金業協会に貸付自粛制度を申し込むと、ローンや融資は受けられなくなります（ただし、この制度は基本的に本人による申告が原則です）。

もっと簡単なのは自己破産させること。自己破産すれば、借金もできなくなるし、クレジットカードもつくれません。手元にあるクレジットカードを破棄すれば再発行も認められないはずです。

依存症にならないようにするのがベストですが、たとえば家族がなってしまったら、そういう覚悟が必要になってしまうのです。

幸せな人は絶対に悪口や陰口をいわれる

悪口や陰口をいわれていい気分になる人はいません。でもじつは、他人から悪口や陰口をいわれるかどうかというのは、自分が成功しているか、日々が充実しているかを客観的に測るバロメータになり得ます。

というのも、**誹謗中傷《ひぼうちゅうしょう》には少なからず嫉妬《しっと》の念が含まれているからです。**もしもあなたがだれかから悪口をいわれたりしているのであれば、それは、いっている相手があなたのどこかを「うらやましい」と思っているからなのです。

年収が高いとか、出世したとか、美男美女と結婚したとか、フォロワー数が多いとかは、まず間違いなく誹謗中傷を受けます。でもそれは、その人たちが幸せそうに見える（実際に幸せかどうかは別）からであり、それを妬《ねた》む人が多いからにほかなりません。

別に大金持ちとか、芸能人のような大成功を収めなくても、ちょっとした成功をしただけでこうした誹謗中傷はやってきます。大成功を収めた人は誹謗中傷に慣れていきますが、ちょっとした成功で初めて誹謗中傷を受けた人のほうが大きなショックを受けてしまいがちかもしれませんね。

でも、**そういう悪口とか陰口を気にする必要はないのです。それは幸せの通過儀礼というか、この世界では日常茶飯事のことなのです。**なので、いちいち反応したり、落ち込んだりする必要はありません。むしろ、「自分も他人から悪口をいわれるようになったんだなあ」とよろこぶくらいでいいのではないでしょうか。

ただし、いじめのように、「こいつは攻撃しても反撃してこなさそうだ」という人間だと認識されて発せられる悪口には、厳正に対処しなければいけません。その方法については、前著『ラクしてうまくいく生き方』に書いたのでご参照ください。

悪口をいわれるのは
あなたが幸せな
証拠でしょうね。

本を読むより先にするべきことがある

書店に行くと、ありとあらゆるビジネス書や自己啓発本が所狭しと並んでいますね。仕事帰りの人たちがそういった本を買っていくのを何度も見かけました。

そういう本を読むことがまったく役に立たないとは思いません。本を読むことで新しい知識を得たり、モチベーションをアップさせたり、内容を実践して自分を成長させる機会は、たしかにもたらしてくれると思います。少なくとも、パチンコ・競馬などのギャンブルに使うよりはよほどマシなお金と時間の使い方でしょうね。

ただ、そういう意欲は大事なのですが、そもそもビジネス書とか自己啓発書を読むよりも、それ以前に実践したほうがいいことがたくさんあるのではないかな、と僕なんかは思ってしまいます。

その筆頭が睡眠ですね。**本を読んで仕事を効率化させるとか、自己研鑽《けんさん》に励む前に「さっさと寝て、8時間睡眠を確保する」ことのほうがよほど大事だと思いますよ。**

そもそも、日本人は睡眠時間が短すぎます。国際機関であるOECD（経済協力開発機構）が2020年に発表した調査によれば、日本人の平均睡眠時間は男性が7時間28分、女性が7時間15分と、調査国のなかでもっとも短いそうです。

人間は慢性的睡眠不足でいると、それだけで本来持っている能力を発揮することができません。

まずは体力を高めることが、能力を高めてうまく生きていくための最優先事項です。

必要なのは食事と運動と睡眠。要は、「バランスのいい食事をする」「たまに体を動かす」「さっさと寝る」、この3つこそが、万人にあてはまる能力向上の方法でしょう。

本を読むよりも
食事、運動、睡眠を
しっかりしましょう。

（おもな参考文献・資料）

法務省「刑務作業」http://www.moj.go.jp/kyousei1/kyousei_kyouse10.html

総務省統計局（https://www.stat.go.jp/data/nihon/02.html）の「年齢５歳階級別人口」

総務省「国政選挙の年代別投票率の推移について」
（https://www.soumu.go.jp/senkyo/senkyo_s/news/sonota/nendaibetu/）

厚労省プレスリリース2020年７月１日
「生活保護の被保護者調査（令和２年４月分概数）の結果を公表します」
（https://www.mhlw.go.jp/toukei/saikin/hw/hihogosya/m2020/dl/04-01.pdf）

時事ドットコムニュース2021年５月21日
「年収1200万円以上は廃止　児童手当で改正法」
（https://www.jiji.com/jc/article?k=2021052100228&g=eco）

国立社会保障・人口問題研究所「人口統計資料集（2021年）」
（www.ipss.go.jp/syoushika/tohkei/Popular/P_Detail2021.asp?fname=T06-23.htm）

総務省統計局「労働力調査（基本集計）2021年（令和３年）７月分結果」
（https://www.stat.go.jp/data/roudou/sokuhou/tsuki/index.html）

医学界新聞2021年４月５日
「コロナ禍の自殺問題　今こそ，医療者に求められる視点とは」
（https://www.igaku-shoin.co.jp/paper/archive/y2021/3415_01）

公益財団法人生命保険文化センター「奨学金を受けている学生の割合はどれくらい？」
（https://www.jili.or.jp/lifeplan/lifeevent/761.html）

一般社団法人日本自動車工業会
「自動車製造品出荷額等は62.3兆円、設備投資額は1.5兆円、研究開発費は2.9 9兆円」
（https://www.jama.or.jp/industry/industry/index.html）

公益財団法人生命保険文化センター「生命保険に加入している人はどれくらい？」
（https://www.jili.or.jp/lifeplan/lifesecurity/1221.html）

厚生労働省「必見 子育てをしながら働き続けたい　パート社員 派遣社員 契約社員　あなたも取れる産休＆育休」
（https://www.mhlw.go.jp/bunya/koyoukintou/pamphlet/dl/31.pdf）

厚生労働省「保育士養成について」
（https://www.mhlw.go.jp/shingi/2008/10/dl/s1006-7e_0005.pdf）

ロイター2021年５月７日「テスラ、完全自動運転の年内実現は困難＝加州当局」
（https://jp.reuters.com/article/tesla-autopilot-idJPKBN2CO0A7）

国立社会保障・人口問題研究所
「人口統計資料集2021年」の中の「表6-4 性，年齢（５歳階級）別初婚率：1930〜2019年」
（http://www.ipss.go.jp/syoushika/tohkei/Popular/P_Detail2021.asp?fname=T06-04.htm）

ひろゆき（西村博之）

1976年、神奈川県生まれ。東京都に移り、中央大学に進学。在学中に、アメリカ・アーカンソー州に留学。1999年、インターネットの匿名掲示板「2ちゃんねる」を開設し、管理人になる。2005年、株式会社ニワンゴの取締役管理人に就任し、「ニコニコ動画」を開始。2009年に「2ちゃんねる」の譲渡を発表。2015年、英語圏最大の匿名掲示板「4chan」の管理人に。2019年、「ペンギン村」をリリース。

【おもな著作】
『無敵の思考』『働き方完全無双』大和書房
『論破力』朝日新書
『これからを生きるための無敵のお金の話』興陽館
『このままだと、日本に未来はないよね。』洋泉社
『自分は自分、バカはバカ。』SBクリエイティブ
『なまけもの時間術』学研プラス
『凡人道』『無敵の独学術』宝島社
『1％の努力』ダイヤモンド社
『叩かれるから今まで黙っておいた「世の中の真実」』三笠書房
『ラクしてうまくいく生き方』きずな出版
『僕が親ならこう育てるね』扶桑社
『ひろゆきのシン・未来予測』マガジンハウス

誰も教えてくれない日本の不都合な現実

2021年11月1日 第1刷発行

著　者　ひろゆき
発行者　櫻井秀勲
発行所　きずな出版
東京都新宿区白銀町1-13　〒162-0816
電話 03-3260-0391　振替 00160-2-633551
https://www.kizuna-pub.jp

印刷・製本　モリモト印刷

© 2021 Hiroyuki, Printed in Japan
ISBN978-4-86663-154-7

好評既刊

ラクしてうまくいく生き方

ひろゆき著

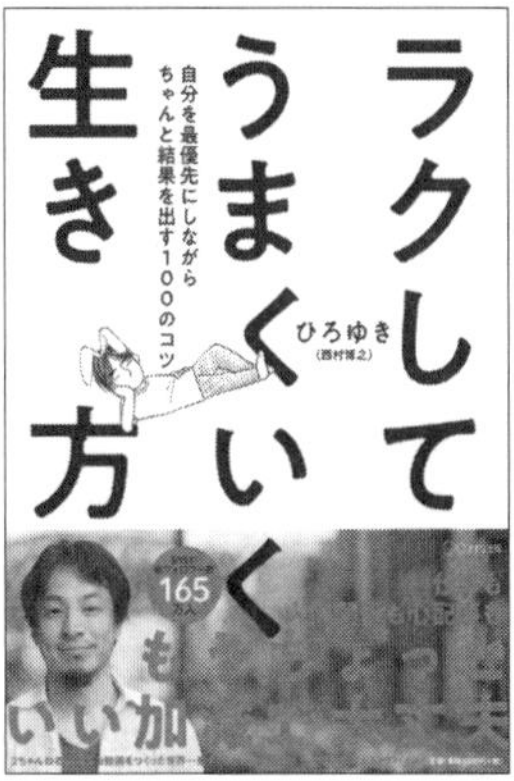

ストレスフルな毎日を、もうちょっとラクに生きたい。生きることにしんどさを感じている人へ贈る、脱力系処世術！
「2ちゃんねる」「ニコニコ動画」などで日本のインターネット界を牽引し、現在はフランスで悠々自適な生活を送っている【できるだけ働きたくない実業家】が、ラクして要領よく生きるコツをわかりやすく伝授。

定価 1400 円（税別）

書籍の感想、著者へのメッセージは以下のアドレスにお寄せください
E-mail：39@kizuna-pub.jp

きずな出版
https://www.kizuna-pub.jp